D0526967

Juifs de France, pourquoi partir ?

DU MÊME AUTEUR

La Saison des palais, *Grasset, 1986*
La Haine antisémite (avec Jean-Claude Raspiengeas), *Flammarion, 1992*
Le Septième jour d'Israël (avec Ruth Zylberman), *Mille et une nuits, 1998*
Villa Jasmin, *Fayard, 2003*
Du côté des vivants, *Fayard, 2006*
30 ans après, *Seuil, 2011*
Le Vieil orphelin, *Flammarion, 2013*
Le Pen, vous et moi, *Flammarion, 2014*

Serge Moati

Juifs de France, pourquoi partir ?

Stock

Couverture : Coco bel œil
Illustration de couverture : © Getty Images

ISBN 978-2-234-08102-4

À la mémoire de mon oncle
André Scemama surnommé (par moi)
« Loulou le sioniste », à celle
de sa femme Suzy et de leur fils Dan.

… et, bien sûr, à celle de Shimon Pérès

Avant-scène

17 juillet 2016. Nous sommes trois petits jours après l'horrible attentat de Nice. Mme Licha m'appelle. Je l'avais rencontrée il y a plus d'un an grâce à l'Agence juive[1], au moment où je préparais ce livre, chez elle, en famille :

Karine Licha : Bonjour, Serge. Voilà, nous y sommes ! Nous partons pour Israël, ça y est ! L'alya, enfin ! Juste un petit coucou pour te donner rendez-vous là-bas.

Moi : Ah, Karine, tous mes vœux de bonheur pour toi et ta famille ! Où allez-vous habiter ?

Karine : À Ra'anana[2], tu connais, je suis sûre, près de Tel-Aviv... Un vrai bord de mer ! Superbe !

Moi : Bravo ! J'espère de grand cœur que tout se passera bien !

---

1. Agence gouvernementale israélienne dont la mission consiste à faciliter et à accompagner l'émigration vers l'État hébreu. Elle a été créée en 1929 sous le nom d'Agence juive pour la Palestine.

2. Ville côtière, très « française », près de Tel-Aviv...

Karine : On espère ! Ce qui est triste, c'est de quitter la France dans l'état où elle est ! L'attentat à Nice nous a achevés. Moi, je suis de Marseille, en plus ! Où est passée ma France ? Où ? Bref, il n'y a plus de mots.

Moi : Tu pars quand ?

Karine : Mercredi !

Moi : Mercredi, là ?

Karine : Oui, le 20 juillet... Ouf !

Moi : Tu es au point côté langue, avec l'hébreu ?

Karine : Une vraie catastrophe, mais on va se débrouiller.

Moi : Et côté boulot ?

Karine : Ça va. Je suis kiné, comme tu sais. Pour ça il y a équivalence des diplômes ! C'est plus compliqué pour Bernard, mon mari ! Il va faire des allers-retours Paris-Israël pendant un moment... Le temps de trouver un job ! Mais si Dieu veut, on s'en sortira ! (Un temps.) Serge, je fuis la France. Oui, je fuis les attentats et le reste ! Horrible. En Israël, on sait se défendre, au moins. Mes enfants, dix-huit, vingt ans, tu les connais, ils n'ont pas d'avenir ici ! Non, ma France, elle n'existe plus ! Une cliente a osé me dire après le Bataclan – elle savait pas que j'étais juive : « Vous inquiétez pas, madame Licha, ce n'est pas un attentat contre la France, mais contre les juifs ! » Merci... C'était très gentil de me dire ça ! J'ai été choquée à un point... J'ai pleuré, pleuré. J'en ai assez ! Assez de tout ! Je sais, le Bataclan, c'est pas l'Hyper Cacher, qui n'est pas l'attentat de Nice, mais les assassins sont toujours les mêmes ! La plupart de mes copains d'enfance à Marseille étaient arabes, et le jour où, tous, ils descendront dans la rue pour dire leur horreur du terrorisme, alors oui, la France redeviendra vivable ! Elle ne l'est plus. Rien à sauver. Triste. Trop triste. Il nous faut partir, et vite ! On a déjà trop attendu. (Un temps, encore.) Pourvu que l'on ne soit pas dans l'obligation de revenir ici… !

Moi : Un aller-retour, quoi… À propos, comment on dit le « retour » en hébreu ?

Karine : La Yerida… la « descente », par rapport à l'alya, la « montée »… Allez, n'y pensons pas ! À bientôt, Serge ! Bisous !

Moi : Bon vent, Karine, bisous à vous tous !

Je raccroche. Inquiet. Troublé. Elle fuit, dit-elle…

Marseille. Lundi 11 janvier 2016.
Lever de rideau

La DGSI[1] a du mal à y croire : Yussuf n'a pas seize ans. Machette à la main, il veut tuer un juif. N'importe lequel. Pourquoi pas celui-ci, qui porte une kippa sur la tête ? C'est un « vrai ». Un de ces juifs « ennemis des musulmans », un de ces « protégés de la France et de son armée ». Yussuf suit l'homme. Et, vite, c'est le premier coup de machette dans le dos. Puis un second du côté de l'épaule. Benjamin, le porteur de kippa, trente-quatre ans, se sert de son épais livre religieux comme d'un bouclier. La Torah lui a sauvé la vie, et la lame, insuffisamment aiguisée, du tueur-qui-n'a-pas-seize-ans, s'enfonce et se perd dans le livre saint. Miracle. Et désolation pour Yussuf, qui n'a pu « tuer un juif pour venger les musulmans ». Alors, il se sauve, mais est vite rattrapé un peu plus loin. Dans

1. Direction générale de la Sécurité intérieure.

le cartable de l'ado assassin, aucun engin explosif. Rien. Un bon élève, semble-t-il, un bon élève à la machette, un petit gars à la machette sanglante. La police arrive. Yussuf aurait, aussi, bien tenté de tuer les policiers, mais, promet-il, « ce sera pour la prochaine fois ». Ne cherchons ni remords ni folie apparente : il n'y en a pas. Yussuf revendique son geste. Tranquillement. Il confie qu'il a eu « honte de ne pas avoir eu la force d'aller jusqu'au bout ». C'est-à-dire, trancher la tête du juif, et envoyer la photo du décapité à ses grands « frères » syriens qui lui auraient, au nom d'Allah, tapoté, virtuellement, la joue pour le féliciter.

Que l'on se souvienne : c'était aussi à Marseille. Un certain Farid Haddouche avait enfoncé profondément dans l'abdomen de sa victime, le rabbin Sylvain Amouyal, un grand couteau de cuisine dont la lame faisait treize centimètres de long, en hurlant : « Sale juif ! Fils de pute ! Je vais te crever ! » En cellule, le tueur a continué : « Juifs, assassins ! Nique les morts, toi et Israël ! T'es un juif, nique tes morts ! La France, ça fait cent ans qu'elle est aux juifs ! Cons de tes morts ! Cons de juifs sionistes ! »

Ces agressions récentes, la dernière surtout, celle du jeune Yussuf, ont provoqué un débat. Vif. Porter ou non la kippa ? La kippa comme signe absolu de la judéité, la kippa comme une signature. Ilan Halimi, pourtant, victime du gang dit « des barbares », n'en portait pas… Alors, avec ou sans kippa, « tous les juifs sont des cibles ». Donc faut-il cacher cette kippa que les tueurs ne sauraient voir, ou bien, au contraire, redresser les têtes juives, comme une sorte de défi ou un acte de « résistance » ? Faut-il se planquer ? « C'est lâche », disent certaines autorités juives, grand rabbin de France en tête. Oui, mais se faire « tirer comme des lapins », c'est sot, c'est bête, c'est absurde, répondent d'autres responsables de la communauté. Les choix sont tout à fait personnels : porter une kippa ou non ? À la suite de ces tentatives de meurtre, auxquelles s'ajoutent, évidemment, l'assassinat d'Ilan Halimi, les meurtres en série de Mohamed Merah et l'horreur de l'Hyper Cacher, une grande peur semble avoir gagné nombre de juifs de France et une question paraît les tarauder : faut-il aller, ou non, vivre en Israël ?

Pour ma part, je ne porte pas de kippa, je ne veux pas finir mes jours en Israël, mais je décide d'écrire ce livre sur l'angoisse actuelle des « juifs français », ou des « Français juifs », et, animés, pour beaucoup, d'un désir fort d'Israël.

Les chiffres parlent. D'eux-mêmes, ou presque. Ça leur arrive souvent. On « estime » qu'il y a en France, en 2016, entre 470 000 et 500 000 Français de confession juive. Ce n'est pas beaucoup : même pas 1 % de la population. Depuis trois ans, 20 000 de mes « coreligionnaires » ont fait leur alya et sont donc « montés » en Israël. C'est une vraie révolution. Aussi bien pour la communauté juive de France, qui fond comme neige au soleil du Sinaï, que pour l'État d'Israël et son gouvernement qui favorise fortement cette émigration. Ces olim[1], à 70 %, viennent de Paris et sa grande région (Sarcelles, Créteil, etc.), ou de Marseille, Lyon, Toulouse, Bordeaux, Nice, Cannes, Grenoble et Strasbourg, etc. Leurs motivations varient. Comme leur origine sociale. Disons, qu'il s'agit d'une classe (tout à fait) moyenne, parfois supérieure, traditionnellement religieuse, et élevée dans l'amour de cet Israël qu'ils ont eu à cœur un jour ou l'autre, et surtout ces dernières années, de rejoindre.

La communauté juive, ces temps-ci, semble être aux aguets, alors qu'elle paraît perdre ses acquêts… « Bibi » Netanyahou, Premier ministre israélien, après s'être invité, en janvier 2015, suite à la tuerie de l'Hyper Cacher, à la grande « marche républicaine » de Paris, n'avait pas hésité, avec l'extrême délicatesse doublée de ce sens de l'opportunité digne d'éloges qu'on lui connaît, à appeler « les juifs de France à venir chercher en Israël la sécurité qu'ils jugent défaillante (*sic*) en France ». Il a visiblement été entendu. Comme a été entendue Sofa Landver, ministre israélienne de l'Intégration, qui en a rajouté une belle couche : « Beaucoup de juifs français espèrent un tout autre avenir pour leurs enfants et

1. Olim : « émigrants ». Olé, au singulier.

pour eux-mêmes ! Ils tentent de bâtir un futur qui ait du sens. Les chiffres désastreux de l'économie française [...], le concept de société multiculturelle, la réalité du métissage, ne séduisent plus les juifs. »

Voilà, c'est dit. C'est net. Et ça vient d'Israël.

Manuel Valls, quant à lui, après avoir fermement dénoncé « la haine d'Israël et l'antisionisme [...] synonyme de l'antisémitisme », s'est adressé à l'ensemble des juifs de France : « Aucun Français ne doit douter de son pays. Les Français juifs ne doivent pas douter de la France [...]. Les juifs de France ont bâti la France et ils doivent continuer à la bâtir. Soyez tous fiers d'être français ! Je voudrais vous inviter à ne jamais déraciner votre cœur de celui de votre patrie : la France ! »

Voilà, c'est dit. C'est net. Et ça vient de France.

Cette alya d'origine française est devenue la plus importante au monde. C'est une « première », comme on dit au théâtre. Mais ici, en l'occurrence, ce n'est pas du spectacle.

En 2006[1], après l'assassinat d'Ilan Halimi, ils furent 1 781 Français à « monter » en Israël. L'année

1. Pour mémoire, excepté un pic d'immigration après la guerre des Six Jours de 1967 où l'alya connut un bond significatif, les chiffres n'excédaient pas, ces vingt dernières années, 2 000 à 3 000 olim par an.

suivante, ils étaient 2 767. Puis ce fut la tournée sanglante, dans le Sud-Ouest, de Mohamed Merah : dimanche 11 mars 2012, il tue un militaire français à Toulouse ; son nom, Imad Ibn Ziaten. Le jeudi 15 mars à Montauban, avec la même arme, il assassine deux autres militaires, Abel Chennouf et Mohamed Legouad, et en blesse un troisième, Loïc Liber, qui restera tétraplégique. Avec le même scooter, il reprend sa virée meurtrière. Le 19 mars, aux alentours de huit heures du matin, devant l'école juive Ozar-Hatorah, Merah tue un enseignant, Jonathan Sandler, et ses deux gamins, Arieh, cinq ans, et Gabriel, quatre. Mais cela ne rassasie pas l'assassin. Encore, encore. Il lui en faut encore. Il poursuit, jusque dans la cour de l'école, la petite Myriam Monsonego. Elle a huit ans. Après l'avoir saisie par les cheveux, il abat d'une balle dans la tête la petite fille souriante et espiègle. Ensuite, il blesse un adolescent et se sauve, enfin. Vite. Sur son engin rapide qui se faufile, furtif comme la mort, et comme Merah lui-même. Celui-ci déclarera, durant le long siège de trente heures mené par le RAID, qu'il n'a qu'un seul regret : « Ne pas avoir fait plus de victimes. » Assaut final. Il est retrouvé mort. Il portait un gilet pare-balles sur une djellaba. Il aura tiré, avant de mourir, une trentaine de fois. Il était ivre de violence. Il n'aura exprimé, pas plus que les autres fanatiques, on l'a vu, on le verra, ni remords ni regrets.

Des « minutes de silence » à la mémoire des enfants qu'il a tués sont organisées dans les lycées de France : beaucoup d'élèves refusent de les observer. Certains ricanent. L'un d'entre eux affirme : « Je vais pas me lever pour des juifs ! C'est aussi bien qu'ils soient morts[1] ! »

*
* *

Après cet épisode noir, une immense tache rouge du sang des innocents se répandit. Ces crimes ignobles ont bouleversé les cœurs. Et les consciences. Je ne veux pas, bien sûr, croire qu'elles n'étaient que juives. Et il y eut 3 400 départs vers Israël, l'année suivante, en 2013, dont plus de 300 juifs originaires de Toulouse, certes capitale de l'Airbus, mais aussi pourvoyeuse numéro un de « djihadistes ». La « communauté » de la « Ville rose », selon sa présidente Nicole Yardeni, se sentit « prise en tenailles » entre une extrême gauche très active, une extrême droite qui monte et les islamistes[2]... Et cela continua de plus belle, si j'ose dire : en 2014, les chiffres doublèrent. 6 949 juifs décidèrent de quitter une France qui leur faisait peur. Ils furent en 2015 aux alentours de 8 000 à les rejoindre. Combien seront-ils en 2016

1. Lire les comptes rendus dans la presse : *Le Figaro*, *Le Monde*, *Le Dauphiné libéré*, *Le Bien public*, et, bien sûr, *La Dépêche du Midi*...

2. Voir Salomon et Victor Malka, *Le Grand Désarroi. Enquête sur les juifs de France*, Albin Michel, 2016.

ou en 2017 à venir en cette Terre promise, dit-on, par Dieu à son peuple dispersé sur la surface de la Terre ? On ne sait pas. Et comment savoir ? Tout dépend... Des attentats, des élections présidentielles et du reste... Ils furent ainsi 90 000 juifs d'origine française à émigrer depuis la création de l'État en 1948. Ils sont, aujourd'hui, semble-t-il, plus de 150 000 à vivre en Israël. Là-bas, on parle (beaucoup) français. On mange (bien) français. Et on vit (souvent) entre soi dans les villes côtières tout autour de Tel-Aviv, une sorte de Côte d'Azur locale. Pour les plus aisés, ce sera Herzliya ou Ra'anana (comme les Licha), pour les retraités, Netanya, alors que les moins fortunés iront à Ashdod et les plus religieux, bien sûr, à Jérusalem. Au cœur des « colonies » de « Cisjordanie occupée », bibliquement rebaptisée « Judée-Samarie », on entend, aussi, et fréquemment, parler le français.

On l'aura compris : ces chiffres, « qui parlent d'eux-mêmes », nous parlent aussi. Et nous questionnent :

Pourquoi un tel flux inédit et massif de migrants venus de France ces dernières années ?

Que vont-ils « chercher » en Israël ?

« Fuient »-ils quelque chose ou « quelqu'un » ?

Croient-ils *vraiment* qu'ils seront plus en sécurité en Israël qu'en France ?

Qu'espèrent-ils trouver dans leur nouvelle patrie, entre Jérusalem et Netanya, Tel-Aviv et Eilat, la frontière du Liban et celle de Gaza ?

C'est à la rencontre de ces juifs que je suis allé. À leur écoute, surtout. Je veux savoir. Comprendre. Pas juger. Oui, juste comprendre.

Tout d'abord, puisque j'arrive chez vous, et avant d'arriver chez eux, je me présente…

« Il faut une terre sans peuple pour un peuple sans terre »

Chez les Moati, les miens, à Tunis, on était, apparemment, assez peu « juifs ». Ni pratiquants, ni religieux, ni même croyants. Dans mes souvenirs les plus anciens, je ne trouve nulle trace de prières du shabbat ni de jeûne pour Yom Kippour. La fête de Pessah (la Pâque juive) m'était également inconnue, comme celle du Nouvel An (Roch Hachana). Bref, mes parents, laïcs, ne faisaient pas le vœu rituel, comme nombre de leurs coreligionnaires, de se retrouver « l'an prochain à Jérusalem ». Et n'y allèrent d'ailleurs jamais.

Mais il y eut la guerre. La vraie. Atroce. Mon père, de Tunis, fut déporté en Allemagne. Il avait tout pour plaire : résistant, socialiste, franc-maçon. Et les hommes de Vichy qui le livrèrent de bon cœur aux nazis ne s'y trompèrent pas : il était, pour faire bon poids, « juif », de surcroît. La totale. Lorsqu'il revint, par un grand miracle, des camps de la mort, il fit une conférence à Tunis, au théâtre municipal, avenue Jules-Ferry. Là, devant une salle comble et dans une atmosphère survoltée, « le pas-du-tout-sioniste » déclara : « Là-bas, dans les camps, j'ai compris qu'il fallait qu'il y ait, en cette terre, un endroit où un juif pourrait vivre en paix et poser sa tête sur une pierre pour se reposer… » Émoi dans l'assistance. Un « État juif » ? Un « État »… ? Et « juif »… ? Oui ! Un jeune homme bouleversé se leva alors et quitta la salle en courant. Il était en larmes et s'appelait André. Mais on le surnommait « Loulou ». Il était le frère de ma mère et « sioniste » depuis sa plus verte jeunesse. André-Loulou décida, dès 1948, de mettre son projet à exécution et d'émigrer en Israël. Désarroi dans la famille. Trouble. Qu'allaient-ils devenir, lui et la belle Suzy, sa jeune femme ? Larmes d'amour. Déchirure.

*
* *

Mes parents moururent en 1957. Les deux. J'avais onze ans. Loulou revint d'Israël et proposa au « conseil de famille » de ramener dans ses malles le petit orphelin que j'étais devenu. Il disait que, en Israël, on ferait de moi un homme, un vrai, sans larmes ni chagrin. Oui, en Israël, dans ce pays à l'âme tannée, mes mélancolies fondraient comme neige au soleil du Néguev. Il disait : « Il ira dans un kibboutz. Là-bas, il y a des tas d'orphelins, ceux de la Shoah par exemple, alors, un de plus, un de moins on saura s'en occuper… ! »

J'ai débarqué dans le port de Haïfa. Tout près de moi, un vieux monsieur, en larmes, a baisé le sol de la Terre retrouvée. J'ai trouvé cela curieux, un peu émouvant, mais surtout très dérangeant et impudique. Quelques heures plus tard, lorsqu'on a vu apparaître, depuis les fenêtres d'un train fort bringuebalant, les collines de Judée, et tout là-haut, la « Ville trois fois sainte », mon oncle m'a dit :

– Tu te souviens, chez les juifs, la Bible… Isaïe… « Si je t'oublie, Jérusalem, que ma main droite se dessèche ! Je veux que ma langue s'attache à mon palais si je perds ton souvenir, et si je n'élève Jérusalem au sommet de ma joie… » Tu te souviens ?

– Non…

– Tant pis ! Eh bien, Jérusalem, tu y es ! Tu es content ?

– Ouais…

La main droite définitivement desséchée et la langue à jamais attachée à son palais, l'impie amnésique s'en est donc allé, assez vite, avec ses petits cousins, vers un kibboutz en Galilée, Regavim. Un été. Deux étés. Trois étés. Et puis, j'en ai eu assez de ne pas pleurer, et de tenter en vain d'être « un homme, un vrai ». Je n'étais décidément pas un juif d'« un type nouveau ». Je me foutais du paradis. Je voulais juste revoir mes parents et ils n'étaient pas là. Alors, j'ai laissé Israël. Et Israël m'a perdu. Pas grave pour le pays. Il s'en remettra. Quoique… Mais moi, j'ai toujours gardé, comme tant de juifs de par le monde, l'« Eretz Israël » de mon enfance au cœur.

J'y pense et puis je n'oublie pas. J'y retourne. J'aime. Je n'aime plus. Israël m'agace. Israël me fait craquer. Tout cela à la fois et souvent. J'ai donc fait une longue suite d'allers-retours. Le monde, juif ou pas, de l'après-Shoah aimait beaucoup cet Israël des origines, où se réalisait, en ces temps de post-apocalypse, une forme de résurrection : c'était comme un paradis après les ténèbres. Un paradis « socialiste », qui plus est, généreux, vrai, et pas liberticide pour un shekel[1].

En juin 1967, à l'aube de la guerre des Six Jours, je courus défendre « la patrie des juifs », qui n'était pas tout à fait, mais tout de même un peu, la mienne. Le temps que l'on inscrive mon nom dans un improbable consulat israélien du pays d'Afrique noire où je faisais, soldat français, ma « coopération », la guerre prit fin. Très vite. Trop vite pour moi. J'étais, décidément, à cette époque, un juif de la Diaspora, comme les autres : il ne fallait pas qu'Israël fût détruit. J'étais dans l'effroi. Je n'aurais pas supporté une défaite, un anéantissement de l'« État des juifs ».

1. Monnaie israélienne.

Après la victoire fulgurante, la conquête et l'occupation de nouveaux et immenses territoires, le petit David solitaire, menacé et fragile, devint un grand Goliath victorieux. Le sionisme alla même, quelques années plus tard, jusqu'à être assimilé à une « forme de racisme » par les Nations unies le 10 novembre 1975[1]. C'est dire. Courbes inversées d'affections universelles : pour beaucoup, l'opprimé des nations devint un oppresseur impérialiste, et le rêve des origines se mit à grimacer. Pour ma part, je commençais à reprocher à ce pays fantasmé de ne plus vivre ces utopies que j'avais moi-même abandonnées. J'idéalisais l'Israël des pionniers, je me souvenais avec bonheur de mes quelques étés faits de cueillettes d'oranges gorgées de soleil et des jeunes filles du kibboutz, tout aussi pulpeuses que les tomates bien mûres que nous mordions à pleines dents, jeunes filles rieuses aux belles jambes bronzées, jeunes filles de mes émois estivaux et sionistes, avec lesquelles je dansais la hora[2] à la nuit tombée.

Aux lendemains de cette guerre éclair de six petits jours, Israël, super-héros triomphant, avait triplé son

1. Résolution n° 3379 de l'Assemblée générale de l'ONU, qui « décrète que le sionisme est une forme de racisme et de discrimination raciale ». Résolution abrogée, seize ans plus tard, le 16 décembre 1991.

2. Danse folklorique israélienne.

emprise territoriale. Le petit pays était devenu très grand. « Trop » grand ? Démobilisé, j'y tournai un documentaire pour l'ORTF[1], du côté du canal de Suez. Je filmai les vestiges encore présents de la guerre. Je roulais au cœur d'un Sinaï conquis par les armes à une Égypte « K.-O. debout ». Mon oncle, André dit « Loulou le sioniste », conduisait. Silence. Long silence. Et le désert à l'infini. J'étais songeur. J'eus, brusquement, l'impudence de déclarer dans un souffle :

– C'est immense. Vous ne pouvez pas garder tout ça et la Cisjordanie en plus ! C'est impossible ! Tu verras, tonton ! Ça se passera mal ! Ils sont trop nombreux, les Arabes, et ils auront l'opinion internationale avec eux. On aime beaucoup Israël mais j'ai l'impression qu'on l'aime moins quand il est « vainqueur » ! C'est comme ça !

Le silence se fit assourdissant. Mon oncle pila sec et me lança :

– Descends !

– Quoi ?

– Descends, je te dis ! Si tu aimes tant les Arabes, monsieur le prophète de malheur, reste avec eux !

Et me voilà, seul, avec mon sac à dos, sur la petite route, entouré de vide, sous un soleil d'enfer. Une éternité. Le géostratège autoproclamé que j'étais n'en menait pas large. Courageux, certes, mais pas extraordinairement téméraire, le petit.

1. Office de radiodiffusion-télévision française. (Comme le temps passe…)

Enfin, après une couple d'heures, mon oncle revint, mû, probablement, par une secrète compassion : après tout, j'étais le fils de sa sœur aînée…

Il me lança, magnanime :

– Monte ! Monte, je te dis !

J'en tremblais. Mais ce n'était pas de froid.

Pour calmer mon courroux et surtout ma peur, l'oncle, dans la voiture enfin retrouvée, eut l'étrange idée de me raconter par le menu les premières alyot[1] vers la Terre sainte. Je m'apprêtais à l'écouter avec une exceptionnelle ferveur due, en partie, à l'immense crainte de me retrouver de nouveau seul dans le désert. Pour ma part, je me souvenais juste que ces premières « montées » étaient, principalement, religieuses. J'avais su que les lieux sacrés du judaïsme étaient étrangement désertés par les juifs, malgré les exigeantes exhortations faites à Dieu de bien vouloir se hâter, comme promis, de rassembler les « dispersés » à Sion. Ceux-ci étaient comme une poignée de gardiens d'un temple abandonné et presque oublié en cette « Terre d'Israël », qui n'avait jamais cessé, pourtant, d'être « objet de prières rituelles, de nostalgies diverses et d'extase mystique[2] »… Ces

1. Alyot : pluriel d'alya.

2. Voir Denis Charbit, *Qu'est-ce que le sionisme ?*, Paris, Albin Michel, 2007.

juifs d'alors, je les imaginais comme des fantômes, assis sur les rives de Babylone, qui pleuraient, dit-on, en se souvenant de la Jérusalem perdue, et qui espéraient, fervents, le retour à Sion. La fin de l'exil serait de nature à faire advenir les temps messianiques, disaient-ils. Certes, mais c'était un peu longuet... Alors je fis remarquer, d'une voix tout de même peu assurée, à Loulou le sioniste qui venait de me préciser que, en 1881, vingt-cinq mille juifs seulement vivaient près des lieux saints du judaïsme :

Moi : Vingt-cinq mille ! C'est rien ! Y avait que vingt-cinq mille juifs ici à la fin du XIXe siècle ?! C'est tout ?

L'oncle : Oui, c'est tout ! D'autres questions ?

Moi : Non, non... Pardon...

Je craignais qu'il ne me fasse à nouveau descendre et que, cette fois, il ne m'abandonne définitivement en plein désert. L'homme semblait en être capable. Mes parents m'avaient bien abandonné en mourant. Depuis, j'avais appris à me méfier.

Silence. Puis, Loulou le sioniste, à mon grand soulagement, déclara sans colère excessive :

L'oncle : Écoute bien ! Il y eut quand même, dès 1882, une alya, celle des « Amants de Sion »... Elle était politique, laïque et nationaliste. Son but : créer un État juif en Palestine. Rebâtir notre ancienne patrie. Un « juif nouveau » et libre. En finir avec la dispersion. Et rompre avec l'exil.

Mon conducteur, imprudent car exalté, accéléra et s'enflamma au souvenir revisité de cette alya de l'aube.

Les olim d'alors devaient, à tout prix, se faire accepter, dans un premier temps, par les occupants ottomans, puis, ensuite, par les Britanniques qui leur succédèrent en 1920, mandatés qu'ils étaient par la Société des Nations, à gouverner la région alors nommée Palestine[1].

Moi : Lourde tâche !

L'oncle : Eh oui ! Il a fallu ruser. Amadouer, négocier et déjouer les chausse-trapes afin de ne pas effrayer les Anglais !

Moi : Oui, lourde tâche, comme celle qui consistait, par ailleurs, à faire « ami-ami » avec les populations arabes locales.

L'oncle : Dur, dur ! Ils ne nous aimaient pas !

Moi : Normal, non ? Normal ! Ralentis un peu, tonton ! Tu vas trop vite !

L'oncle : Tais-toi ! Je conduis comme je veux. Nous avions, nous, les juifs, des droits ancestraux sur cette terre ! Relis la Bible, ignare que tu es !

Moi : Je veux bien la relire…

L'oncle : Ou plutôt commence par la lire tout court !

Moi : Bon… Mais la Bible, ce n'est tout de même pas un cadastre ! Et les Arabes, eux, habitaient *vraiment* ici, depuis des siècles, ils cultivaient la terre, peuplaient les villes et tout ça ! Sans avoir besoin des

---

1. Le mandat, tel que défini par la très fameuse déclaration Balfour du 2 novembre 1917, avait pour objectif l'installation d'un « foyer national pour le peuple juif, […] étant clairement entendu que rien ne sera fait qui puisse porter atteinte aux droits civiques et religieux des collectivités non juives existant en Palestine ».

prières sans cesse répétées de ces juifs qui, d'ailleurs, n'avaient jamais mis les pieds en « Terre sainte », depuis le trop méconnu Titus, sa prise de Jérusalem, et le fort regrettable incendie du Temple !

L'oncle : Tais-toi, mécréant ! Mauvais juif !

Énervement. Grand énervement. Et miraculeux fou rire. Progressivement, il y eut un retour au calme. Et l'oncle se mit à conduire à une vitesse raisonnable. Une légère somnolence, alors, me guetta. L'oncle, ensuite, me parla (tandis que nous quittions le Sinaï ex-égyptien pour le Neguev israélien) de ces dix mille à douze mille émigrants, hommes, femmes et enfants qui fuirent, en cette fin du XIXe siècle, les pogroms russes, vrais carnages et terrifiantes boucheries. Le but de ces nouveaux olim était d'œuvrer à « la renaissance politique, économique et spirituelle nationale du peuple hébreu ». Bref, ils voulaient, en vérité, revivre.

L'oncle : Tu comprends ça, « revivre » ? Un peuple assassiné, étouffé, bâillonné... Un peuple persécuté qui veut « revivre », libre, en sa patrie historique... Toi, qui es, soi-disant, pour les luttes nationales et l'émancipation des peuples de la planète, voire du système solaire, y'en a qu'un, un seul, qui n'y aurait pas droit, à sa liberté, et ce serait le peuple juif ? Rien que le peuple juif ?

Moi : ...

L'oncle : Te voilà soudain bien muet !

Moi : Attends ! Dis-moi, nous, on est un peuple ? Une religion ? Ou quoi ? « Juif », c'est quand même pas une nationalité ! Si ?

L'oncle : On est tout ça à la fois ! Plus une civilisation et une culture ! Ça te va ? Je continue.

Et l'oncle, se faisant presque lyrique, continua :

L'oncle : Je te rappelle que, en 1896, venait de paraître, sous la plume d'un jeune journaliste hongrois brillantissime, juif certes, mais pas du tout religieux, un certain...

Moi : Theodor Herzl ! Je sais ! J'ai appris ça dans ce kibboutz où tu m'avais jeté pour te débarrasser de moi !

L'oncle : J'aurais mieux fait de t'y laisser ! Tu serais maintenant parachutiste ou lieutenant-colonel dans l'armée d'Israël, au lieu de t'empâter et de faire des petits reportages que personne ne verra jamais !

Moi : Merci ! Tu es trop gentil, tonton ! Herzl, donc, avait été indigné, bouleversé, par la grande fureur antisémite qui avait entouré l'affaire Dreyfus, qu'il avait suivie pour son journal[1]... ! Tu vois que je connais l'histoire !

L'oncle : Pas sûr... Quel était le titre de son livre ?

Moi : *L'État des Juifs* !...

L'oncle : Bravo ! J'étais à deux doigts de te faire encore descendre de la voiture... Je te garde !

Moi : Monsieur est trop bon.

L'oncle : Quelle est l'idée principale du livre ? Si tu devais retenir juste une phrase pour briller en société ?

---

1. Theodor Herzl (1860-1904) était rédacteur à la *Neue Freie Zeitung* pendant l'affaire Dreyfus. Il avait assisté à la dégradation publique du capitaine, accusé d'espionnage et de trahison, dans la cour des Invalides, le 5 janvier 1895.

Moi : ???

L'oncle : « Il faut une terre sans peuple pour un peuple sans terre ! »

Moi : … « Un peuple sans terre » ? Bon, je veux bien, admettons !… Mais « Une terre sans peuple » ? Et les Arabes d'ici ? C'était pas un « peuple » ? Qu'est-ce qu'on allait en faire ? J'ai lu qu'on avait proposé aux sionistes l'Ouganda, l'Angola, Madagascar ou même l'Australie… Et que ton Herzl, au début, n'était pas contre ! Pas contre du tout ! L'Ouganda, ça lui plaisait bien. « Pourquoi pas », il avait dit !

L'oncle : Ouais… Le « Jew-Ganda » ! Tu parles ! À l'époque, on n'avait pas d'autres choix ! Pour Herzl, c'était mieux que rien ! Une solution provisoire ! Mais même l'Ouganda n'a pas marché ! Personne, là-bas, ne voulait de nous ! Et Herzl est mort, comme tu le sais sûrement, enfin j'espère, en 1904… Fin de partie et fin de l'Ouganda ! *Tous* les juifs, je dis bien *tous* les juifs de l'époque, n'ont eu, alors, comme seul but que le retour à l'unique « berceau des origines » : la Terre d'Israël ! Plus de rêveries en Afrique ou en Argentine : Israël ! Juste Israël ! Ce fut la deuxième alya (1903-1914) et un afflux de nouveaux émigrants ! Ils se disaient, bien sûr, sionistes et, je te l'indique, pour te faire plaisir, *socialistes* !! Oui, socialistes, ça devrait t'enchanter, tel que je te connais, digne fils de ton père ! Socialistes et profondément attachés aux libertés humaines, ce que vous appelez en France, les « droits de l'homme ». Ça te plaît, hein ?

Moi : Oui, je l'avoue, ça m'enchante littéralement. Je suis ivre de bonheur !

L'oncle : Ne fais pas ton malin ou il va t'arriver des bricoles ! David Ben Gourion, père de l'État d'Israël, a fait partie de ce mouvement ! Ils rêvaient tous de relations fraternelles avec leurs voisins arabes face aux impérialistes anglais… Ils étaient, déjà après la guerre de 14-18, quatre-vingt mille juifs dans un pays qui n'était pas encore l'État d'Israël, bien sûr !… Quatre-vingt mille en plein désert ! Les kibboutzim, la vie collective, l'égalité, ça te plaît aussi, non ?

Un temps…

L'oncle : Alors ?

Moi : Alors, oui, ça me plaît !… Mais ce « grand amour » judéo-arabe n'a franchement pas duré longtemps !

L'oncle : Pas notre faute ! Les Anglais se sont mis à nous soutenir. Carrément. Et officiellement, en 1917, avec la déclaration Balfour ! Elle commence comme ça, je l'ai apprise par cœur : « *Le gouvernement de Sa Majesté envisage favorablement l'établissement en Palestine d'un foyer national pour le peuple juif* » ! Superbe, non ? Mais problème à venir avec les Arabes… Ça ne leur a pas vraiment plu ce mot le « foyer » !

Moi : On peut les comprendre…

Et l'oncle enchaîna, opiniâtre, prolixe, sur les « troisième » et « quatrième » alyot… 1919-1928… La voiture, elle, longeait la côte de Gaza, pendant que le récit de Loulou le sioniste continuait et que je somnolais vaguement.

L'oncle : Des juifs « polonais » ont alors débarqué ! Chassés, eux aussi, par les mesures antisémites du gouvernement de Varsovie. Ils étaient toujours ashkénazes[1]. Mais aussi, désolé pour toi, souvent de droite, et même de droite religieuse. Ils ne rêvaient plus d'une « société idéale », ni de fraterniser avec les Arabes. Ils voulaient juste construire un État sur la terre de leurs ancêtres. À tout prix. Un point, c'est tout. Ils te plaisent moins, ceux-là, non ?

Moi : S'il te plaît, continue ! (En réprimant un bâillement incongru qui aurait pu justifier un nouveau « Descends ! » en plein cœur de la riante cité de Gaza...)

L'oncle : Alors (avec de grands gestes de la main qui faisaient dangereusement tanguer la voiture), je passe à la « cinquième » alya ! [1929-1939]. Autriche, Allemagne : les nazis prennent le pouvoir. Cent quatre-vingt mille juifs fuient Hitler ! Mais les nouveaux émigrants vont faire face à une autre cruauté : celle du blocus maritime des Anglais ! Plus un juif, tu m'entends, plus un juif, ne devait entrer en Palestine ! Et l'immigration est alors devenue clandestine, très dangereuse, pendant que, en Allemagne, c'était la nuit de Cristal ! Il nous fallait un refuge. Et partir !

1. Juifs d'Europe occidentale, centrale, orientale. Les sépharades, originaires d'Afrique du Nord, sont actuellement majoritaires dans la communauté juive en France.

Vite ! Tu te souviens quand même de l'histoire d'*Exodus* ?

Moi : Je n'ai jamais autant pleuré au cinéma !

L'oncle : Belle confession. Minute de vérité ! Fais gaffe, tu deviens sioniste.

Sentant en moi un esprit fragile et friable, voire influençable sinon sensible, l'oncle me parla de tous ces juifs qui arrivèrent juste avant et juste après la création de l'État d'Israël en 1948... Sept cent mille rescapés de l'holocauste, survivants miraculés du génocide, sept cent mille éclopés du destin, orphelins sans parents, parents sans enfants, familles détruites et disloquées, avec la mort en bandoulière et au cœur. Je savais un peu tout cela mais j'écoutais les paroles de Loulou, lui qui fut pour moi comme un « autre » père, bien qu'ayant, fugitivement, conçu le lâche projet de m'abandonner en plein désert, après avoir tenté, vainement, de faire de moi « un homme, un vrai », dans les kibboutzim de Galilée.

L'oncle : Et moi, je rêvais d'Israël. Ton père qui avait une grande influence sur moi, nous avait dit, lui, le socialiste, lui, l'athée que, oui, après les camps et l'horreur, il fallait qu'il y ait un foyer national juif ! Alors, je n'ai fait ni une ni deux, et je suis parti. Comme tant d'autres. D'ailleurs, tu le sais bien, il n'y a pratiquement plus de juifs dans les pays arabes... Les terres du Maghreb ou d'ailleurs... Du Maroc à la Syrie, de la Tunisie à l'Irak...

Et l'oncle, tendre et irascible à la fois, se tut. Mélancolique. Sûrement pensait-il à sa douce Tunisie natale.

La nôtre. Nous arrivions dans les faubourgs de Jérusalem. La ville se profilait tout là-haut, juchée sur les belles collines de Judée. Silence.

*
* *

Je me suis longtemps souvenu de cette discussion. Je suis souvent retourné en Israël. Cinq fois, dix fois. Toujours, ou presque, avec une caméra.

J'ai ainsi filmé l'arrivée, en 1991, des Falashas éthiopiens qui débarquaient, égarés et bouleversés, à l'aéroport de Tel-Aviv et découvraient – c'était incroyable – qu'il y avait même des juifs blancs...

Étaient-ils « tous » juifs, ces Noirs ? Pas sûr.

J'ai aussi beaucoup filmé le million d'émigrants juifs de Russie. Étaient-ils « tous » juifs, ces Russes ? Pas sûr.

Je ne pensais pas, un jour, assister à l'arrivée massive, bien plus tard, des juifs de France.

Ils sont pourtant le sujet et les acteurs de ce livre.

Les marcheurs

11 janvier 2015. C'était pendant la grande « manifestation républicaine » qui avait suivi les attentats de *Charlie Hebdo* et de l'Hyper Cacher. Grande émotion. Consternation et colère. La France, dirait le président Hollande en novembre 2016, était « en état de guerre ». Une guerre qui nous était faite, sinon déclarée. Une guerre d'un type nouveau face à une hydre à mille têtes. J'ai alors, dans le cortège immense, croisé Viviane, une copine d'enfance. Elle était très émue :

– Je n'en peux plus. C'est irrespirable ! La France devient folle... L'antisémitisme se déchaîne... Je n'ose plus mettre mon nom, enfin celui de mon mari, Cohen – tu te souviens que je m'appelle Cohen ? – sur la boîte aux lettres ! J'ai peur ! Peur aussi de donner mon adresse au taxi, surtout si le chauffeur a une barbe ! Oui, en France, on peut mourir parce qu'on est juif ! Regarde l'Hyper Cacher, regarde le pauvre Ilan Halimi, regarde

Mohamed Merah, à Toulouse ! Serge, j'ai peur ! On est abandonnés, nous, les juifs ! C'était pas comme ça du temps de ton Mitterrand... Lui, en 1990, il était à la tête de la manif, après la sale histoire du cimetière de Carpentras, en 1990 ! Presque vingt ans déjà ! Cette foule-là, celle d'aujourd'hui, elle s'en fout de nous ! Ils seraient jamais venus aussi nombreux *juste* pour l'Hyper Cacher ! Y aurait eu *que* des juifs, j'en suis sûre !

D'autres personnes me rejoignent et me parlent, tel Pierre :

– J'ai entendu, tu l'as entendu aussi, Serge, je t'ai vu, tu y étais avec ta caméra, lorsque, dans les rues de Paris, l'été dernier, on criait : « Mort aux juifs ! » Quelle horreur, c'était dans la manif soi-disant « pro-Gaza » ! La dame, là, ton amie, la Cohen, elle t'a parlé de Carpentras... OK ! Mais avant y avait eu l'attaque de la synagogue de la rue Copernic, en 1980, je crois ! Quatre morts. Et celle du restaurant Goldenberg, deux ans après : six morts, six ! Ça s'arrêtera jamais, jamais !

Un certain Lucien intervient à son tour, mais un ton plus bas :

– Mon fils, Victor, il a neuf ans, neuf ans ! Eh bien, il a été agressé, en bas de chez nous, rue de Meaux, dans le 19e, par des Arabes, juste parce qu'il portait une kippa ! Neuf ans, mon fils ! (Un temps. Une envie de pleurer.) Ça, c'était juste après l'Hyper Cacher... Moi, c'est décidé, je prends mes cliques et mes claques, et on s'en va !

– Où ?

– En Israël, pardi ! Où tu veux qu'on aille, Serge ? (Encore un temps.)

*
* *

Déjà en 2009, 14 % des Français disaient que les « juifs de France » ou les « juifs français » ou bien encore les « Français juifs » ou, enfin, les « juifs » tout court – comment dire ? – n'étaient pas, en tout cas, des « Français comme les autres » !

Selon le ministère de l'Intérieur, il y aurait eu 806 actes antisémites en 2015. Les juifs ne représentant même pas 1 % de la population française, on l'a vu 1 % des citoyens de notre pays seraient donc la cible de la moitié des actes racistes commis en France.

En 2015, toujours, 63 % des 700 juifs interrogés par l'IFOP pour la fondation Jean-Jaurès, déclarent avoir été insultés « parce que juifs ». Un sur deux, ou presque, se plaint d'avoir reçu des menaces, et 43 % d'entre eux disent avoir été agressés. C'est en France et c'est de nos jours. Qui l'eût cru ? Qui l'eût dit ? Qui l'eût cauchemardé ? Oui, qui aurait pu imaginer que les juifs de France, en grand nombre, quitteraient la France, et que 30 % de mes « coreligionnaires », dans un excellent livre récent, exprimeraient leur désarroi, leur *Grand Désarroi*[1]...

1. Victor et Salomon Malka, *Le Grand Désarroi*, *op. cit.*

Roger Cukierman, président du Conseil représentatif des institutions juives de France (CRIF), s'adressant à un François Hollande absent, mais représenté par Manuel Valls, déclara lors du dîner annuel de son organisation en 2016 :

> Monsieur le président, nous vivons [nous les juifs] une vie retranchée. Nous avons le sentiment angoissant d'être devenus des citoyens de seconde zone. Cet ostracisme isole et traumatise [...], cette angoisse, je ne suis pas le seul à la ressentir [...]. Monsieur le président, dans ce pays qui a accordé la pleine citoyenneté aux juifs dès 1791, quand pourrons-nous, à nouveau, vivre sans crainte notre judéité ?

11 janvier 2015, encore. Retour à la manif. Paroles croisées :

Quelqu'un : On n'est plus en sécurité en France ! Trop d'Arabes ! On ne peut même plus aller à la synagogue tranquille... Fini ! Et, en plus, il y a pas seulement les Arabes, il y a Marine Le Pen, elle fait sa mignonne avec nous, Bisounours et compagnie, mais, crois-moi, elle reste la fille à son père, celle-là ! Et au gouvernement, ils sont bien gentils, ils parlent ! Ça, pour parler, ils parlent ! Ils nous aiment, ils nous adorent, mais c'est tout !

Moi : C'est faux ! Totalement faux ! Y a des flics partout. Et en masse. Comme jamais, devant les écoles juives, les synagogues !

Un autre : Réfléchis, Serge, nous, les juifs, on est rien en France. Allez, on est quoi ? Quatre cent cinquante mille… Cinq cent mille, à tout casser ! On pèse rien avec tous les mariages mixtes ! On disparaît ! On est rayés de la carte ! Et les Arabes, ils sont combien ? Des millions et des millions ! Et dans le monde entier, des milliards ! Avec leur Daesh et tout leur cirque ! On ne pourra jamais les arrêter ! JA-MAIS ! C'est fini, la sécurité en France ! FI-NI ! FI-NI ! Y a qu'en Israël qu'on est protégés, y a qu'en Israël qu'on peut être en sécurité ! Oui, monsieur ? Les attaques au couteau ? Les roquettes qui tombent là-bas ? Tu parles ! J'ai moins peur des roquettes en Israël que de ce qui s'est passé rue de la Roquette à Paris[1] !

Moi : Ah, ah, ah ! Que tu sois sioniste ou religieux et que tu veuilles vivre en Israël, OK ! Mais ne dis pas que tu te sens plus en sécurité là-bas qu'ici ! C'est dingue ! Tu t'entends ?

Le même : Oui, je m'entends ! Et je suis sûr de ce que je dis.

1. Souvenir d'une autre manif pro-Gaza à Paris. Il y avait eu, ce 13 juillet 2014, des slogans violemment antisémites et antisionistes, rue de la Roquette à Paris, devant une synagogue dans laquelle des juifs s'étaient réfugiés.

Celles et ceux qui préparent leur alya

Ému, intrigué, je commence mon livre-enquête. Ou mon enquête sans caméra en forme de livre. Bref, je m'y mets. Première étape : un lieu, à Paris, qui ne désemplit pas. Imaginez : entre six cents et mille personnes, par jour, s'il vous plaît, fréquentent le 119, rue La Fayette. Le Centre communautaire juif de Paris est un lieu, le plus grand d'Europe, de culture, de rencontres et d'études, ouvert à tous et vraiment accueillant : j'en témoigne.

Depuis 1962, ici, on parle et on débat. On y croise certes des juifs, mais aussi beaucoup de « pas juifs du tout », des laïcs plutôt laïcs, des religieux plutôt religieux, des gens de gauche ou pas, des gens de droite ou pas. Je dois à la vérité de dire, tout de même, que l'on y est plutôt tout à fait « sioniste », à la notable exception de quelques professeurs (tous) israéliens, qui y enseignent, avec sérieux et bonhomie, l'hébreu.

Car le CCJ est, aussi, le plus grand des oulpanim[1] de France, qui en compte tant ! On y apprend, grâce à ces « profs », entre autres débats, conférences et curiosités divers, tous les jours, et à tous les étages, la langue de la Terre d'Israël. Et ils sont sept cent cinquante étudiants qui s'exercent à distinguer l'aleph du beth[2] avec passion et acharnement. Préparant, souvent, leur alya, il leur faut, c'est une nécessité, tenter de parler hébreu.

Je vais donc au CCJ. J'y suis reçu en ami. J'interromps un cours d'hébreu. La prof me cède sa place. Je lui glisse un furtif « toda » (merci). J'ai ainsi, en une fois, utilisé la quasi-totalité de ma connaissance de la langue supposée être celle, modernisée, de mes ancêtres tout aussi supposés. J'explique mon projet de livre et ma question concerne, bien sûr, les éventuels projets d'alya des étudiants de tous âges qui me font face. Je suis interrompu aussi sec :

Gilbert : « Éventuels » ? « Alya éventuelle » ? Pas du tout éventuelle ! On s'y prépare. On fera notre alya !

Moi : Ah... ?

Gilbert : Tout juif qui se sent bien dans ses baskets veut faire son alya. C'est comme ça. Et c'est fatal. En France, vu les Arabes, c'est-à-dire les islamistes, on sera « obligés » de partir de toute façon !

---

1. Pluriel du mot « oulpan », nom hébreu pour désigner les écoles de par le monde où l'on enseigne l'hébreu moderne.
2. Autrement dit, le « a » du « b ».

Moi (timidement) : Quand ?

Un temps. Le ton se fait moins flambant. Confession publique :

Gilbert : Faut d'abord que je vende mon appartement. J'habite dans le 93. Y a que des Arabes qui habitent là-bas. Et ce sont les seuls qui achètent. Mais ils ont pas le sou ! Alors l'appart, il me reste sur les bras. Plus personne veut habiter dans un souk ! On se croirait je ne sais où, mais pas en France !

Moi : Alors ?

Gilbert : Alors rien. J'attends. Et j'ai peur.

Fabienne : Moi aussi. Mais j'ai peur, surtout, pour mon petit qui a dix ans. Je vais vous donner un exemple : je parle, maintenant, grâce à l'oulpan, assez bien l'hébreu. Le petit aussi. Mais dans le métro, jamais on ne parle hébreu, jamais ! Trop peur !

Jacques : Le métro ! Moi, j'y passe mon temps à regarder les paquets, les sacs abandonnés, tout... !

Petits rires de fraternelle connivence entre les étudiants, puis :

Sylvie : Tout juif devrait apprendre l'hébreu, le connaître. Je veux que mes enfants le parlent aussi bien que le français. Je veux être une juive, comment dire, oui... « complète » !

Francine : Monsieur Moati, juste une question : pourquoi nos hommes ont-ils honte et sont-ils angoissés à l'idée de porter la kippa, alors que les femmes musulmanes, elles, elles portent le voile sans problème ? (Un temps.) Alors ?

Moi : ???

Francine : Moi, je vais vous dire : les musulmans veulent s'identifier à nous ! S'identifier au malheur juif ! Ils sont jaloux de nous ! Ils nous font de la « concurrence victimaire », comme on dit ! Les Noirs aussi : regardez Dieudonné ! C'est comme si on les empêchait de vivre ! Ils veulent qu'on disparaisse !

Daniel : Moi, je suis pratiquant. Et si je veux vivre pleinement mon judaïsme, je dois vivre en Israël ! Un point c'est tout. Pour l'instant, je fais des allers-retours, ma petite-fille est officier dans l'armée d'Israël, je suis fier d'elle. Moi, je veux mourir et être enterré là-bas. Sur une terre juive.

Lizzie : Parle pas de mourir, ça porte malheur ! Si on est pas encore partis définitivement, c'est, en vérité, qu'il n'y a pas d'équivalence totale des diplômes d'avocat pour l'instant.

Moi : Pourquoi cette histoire d'équivalence des diplômes revient toujours ? Tout le monde en parle ! Ça traîne visiblement en longueur ! Pourquoi ?

L'un : Va comprendre ? À mon avis, c'est à cause du lobbying que font les Russes. Ils sont inquiets de notre arrivée, alors ils se protègent. En Israël, il y a déjà un avocat ou un médecin pour trois personnes ! Et il est russe ! Alors, surtout pas d'équivalence pour ces professions comme pour les dentistes, les psys, les architectes et les pharmaciens ! Presque tous les métiers des juifs français ! Ils ont la pétoche, les Russes ! (Rires.)

Lizzie : Si je suis dans cet oulpan, c'est que je veux parler parfaitement l'hébreu. À Ra'anana, ou ailleurs près de Tel-Aviv, tout le monde parle français, alors on risque de ne jamais s'intégrer. Jamais ! On est, du reste, très critiqués par les Israéliens parce qu'ils pensent qu'on veut rester entre nous, entre Français ! Et, en plus, on est accusés de faire monter les prix de l'immobilier...

Moi : C'est vrai ou c'est faux ?

Lizzie : Les deux...

Moi : Quoi « les deux » ?

Lizzie : C'est vrai. Et c'est faux. Oui, on aime bien se fréquenter entre Français, mais c'est bien normal, et oui, on est plus riches que les Éthiopiens, c'est vrai ! Ou que les Russes quand ils sont arrivés ! Mais qu'est-ce qu'on y peut ?

Toto : On a une image de flambeurs ! Pour les Israéliens, on est comme les gars de *La vérité si je mens*. Tu vois le genre : vulgaires et tchatcheurs ! Nous, on serait tous des dragueurs, et nos femmes, toutes des Barbie trop maquillées et refaites des pieds à la tête ! Rien d'origine à part les bijoux ! (Rires.)

Éric (plus sérieux) : Si on est ici, au Centre communautaire, c'est pour nous rapprocher de notre identité.

Rita : Une « autre » partie de mon identité, la juive, menacée en France, est à redécouvrir ! Mes racines sont là-bas... Je renoue avec la culture de mes ancêtres, et ça me réchauffe le cœur.

Éric : Et puis aussi, soyons francs, Israël c'est notre bouée de secours !

Rita : Les Arabes d'un côté, le FN de l'autre. Au secours ! On va se noyer, oui, on a besoin d'une bouée !

La prof-israélienne-de-gauche intervient à la façon d'une prof-israélienne-de-gauche :

Ayeleth : Israël, c'est pas le paradis, tout de même ! Arrêtez ! Là-bas, c'est le capitalisme sauvage et, en plus, on est toujours à attendre la prochaine guerre ! C'est dur, c'est très dur de vivre là-bas… (Un temps.) Il y a vraiment un problème culturel grave entre les Israéliens et les Français !

Moi : Oui ?

Tous : Continue ! Continue !

Ayeleth : Nous, les Israéliens, on est dans la merde ! Vous, les Français, vous pensez qu'avec votre argent, vous allez être nos sauveurs ! Je suis désolée de vous le dire, mais en Israël, on parle cash : vous êtes considérés comme prétentieux et arrogants ! Vous croyez que vous savez tout ! Et mieux que nous ! Politiquement, vous êtes à la droite de Bibi [Netanyahou]… C'est pour ça qu'il veut que vous veniez ! Il a besoin de troupes ! (Un temps.) Mes parents, ils étaient au kibboutz, ils n'avaient pas un sou mais juste un idéal très fort ! Ils voulaient, en plus, la paix avec les Arabes. La paix ! Moi, je ne pense même pas la voir, cette paix, de mon vivant !

Un jeune homme, Nicolas, s'enhardit et prend la parole :

Nicolas : Je ne suis pas juif. J'ai vécu en Israël pour voir et parce que j'y avais des copains. Eh bien, mes amis, qui étaient de gauche, sont tous à droite maintenant ! J'y suis retourné récemment, j'en suis revenu totalement déprimé. La gauche est morte. Pas de leader. Pas de projet. Plus personne ne croit encore à la paix ! Et personne au pouvoir n'en veut !

Silence. Accablement. Puis, en douceur, Marc prend la parole à son tour :

Marc : Mes parents sont morts à Auschwitz… Je serais si fier d'avoir une carte d'identité israélienne.

Aline : Je suis la femme de Marc. Il y a quelque temps, nos enfants ont été traités de « sales juifs » à la sortie de l'école par des Maghrébins ! Ça ne finira jamais. Je n'ai plus envie de baisser la tête. Je n'en peux plus.

Marc : … Je pense à mes parents.

Audrey : Mon grand-père, à seize ans, s'est retrouvé tout seul. Plus aucune famille. Tous gazés. Un « détail », n'est-ce pas ? Rien qu'un « détail ». Je ne veux plus, moi, sa petite-fille, vivre cachée. Si Marine Le Pen gagne les élections, y aura une guerre civile ici ! Et c'est nous, bien sûr, qui trinquerons, comme toujours !

Danièle : Nos écoles juives, c'est comme des bunkers ou des prisons. Et quand on vient chercher les enfants, on nous dit qu'il faut courir, vite, vite, et ne pas traîner dans la rue ! « Allez, dispersez-vous, dispersez-vous ! »

Roger : Moi, j'ai hésité pour mes enfants entre l'école laïque et l'école juive. Dans la laïque, ils risquent d'être insultés. Il n'y a d'ailleurs plus qu'un tiers des enfants juifs qui y vont ! Et plein d'arabes ! Mais s'ils vont à l'école juive, ils deviennent des cibles, avec l'armée à la porte, et tout ! Alors que faire ? Plus rien. Serge, écoutez-moi bien : l'alya est devenue inévitable !

Cathie : Je viens de Sarcelles, j'y habitais. Ça allait bien avec les Arabes dans le temps. Mais on a été agressés. Alors, on a émigré. Oh, pas loin, dans le 17e arrondissement ! Là, il y a des épiceries et des boucheries cacher. Là, on passe inaperçus ! Mais jusqu'à quand ?

Nicole : Je vais vous dire quelque chose, monsieur Moati, j'habite un petit village près de Strasbourg. On était heureux dans cette Alsace « profonde », comme on dit à la télé ! Eh bien, vous n'allez pas me croire, mais l'autre jour, un Français, en me voyant, m'a lancé : « Hitler n'a pas fini son boulot ! »

Moi : Sans blague ? Sérieux ?

Nicole : Comme je vous le dis ! Hyper-sérieux.

Raphaël : Les « territoires perdus » de la République, ils sont partout et ils sont *vraiment* « perdus » ! On sent qu'on les dérange.

Moi : Qui vous dérangez ?

Raphaël : Les Français ! Ils nous tiennent pour responsables des tensions avec les Arabes, et même des attentats !

Silence légèrement gêné tout de même. Un petit temps, puis :

Cathie : À Sarcelles, où j'étais médecin, j'ai, un beau jour, entendu une de mes patientes dire : « La France devrait redevenir un pays catholique » !... Elle ne savait pas que j'étais juive. Eh bien, je pense que c'est trop tard : désolée pour cette dame, mais la France ne sera plus jamais catholique !

Marc : Mes parents ont connu la Shoah. Dans ma génération, c'était le vieux Le Pen et ses saloperies. Pour mes enfants, c'est les attentats et les manifs antisémites ! Mes parents, moi, mes enfants : trois générations, tout continue, tout recommence.

Henri : Mon grand-père est mort dans un camp, mes parents, eux, en sont revenus. Mais sans leur fils. Alors, ils m'ont fait.

Moi : Quand mon père est revenu d'Allemagne, il a voulu un enfant, ç'a été moi. Le prénom français qu'ils m'ont donné, c'est Henry, comme toi, mais avec un « y » parce qu'ils adoraient les libérateurs américains. Comme prénom hébreu, ils ont choisi, alors qu'ils étaient laïcs, « Haïm », qui veut dire « la vie » ! « La vie d'après ». La renaissance…

Henri : Oui, je sais ! Encore un mot : le juif n'a plus sa place en France.

Francis : Juste une remarque : jamais un juif n'a attaqué un Arabe. Jamais ! Nous, on gêne tout le monde. Notre choix, c'est ou les États-Unis ou Israël. Rien d'autre. En France, ou tu deviens catho, ou tu te convertis à l'islam.

Un autre Marc : Moi, monsieur Moati, je suis de Tunisie, comme vous… On était au moins cent mille, là-bas ! Combien il en reste ? Mille ? Mille cinq cents ? Je me souviens, c'étaient les jeunes, comme moi, à l'époque, qui sont partis les premiers : on étouffait ! Ça recommence ici : le même étouffement ! Nous aussi, on va partir. La chape de plomb, j'en peux plus ! Les Arabes nous ont virés de nos terres natales ! Les voilà qui nous virent de France !

Danièle : Plus il y a d'Arabes, plus on crève, basta !

Jacquot : La vérité, c'est qu'on se sert des juifs pour faire tampon avec eux !

Moi : Quoi, tampon ? Quel tampon ?

Jacquot : Mais oui... Prenez l'abattage rituel... On leur dit : « Voyez, les juifs, ils s'en sortent avec leur "cacher", pas comme vous avec votre "hallal" qui emmerde tout le monde ! » Un autre exemple ? Les dates d'examens. Les Français disent aux Arabes : « S'il y a des examens pendant le ramadan, faites comme les juifs : débrouillez-vous, faites ce que vous pouvez et arrêtez de vous plaindre ! » Oui, les catholiques font tout pour que les juifs énervent les Arabes. Ils nous dressent les uns contre les autres ! Mais nous, les juifs, on a un endroit où aller : Israël. Pas comme les chrétiens ! Ou même les Arabes ! C'est l'enfer, pour eux, partout.

Domitille (émue) : À force d'évacuer la spiritualité de notre pays, la nature ayant, comme on sait, horreur du vide, les musulmans s'y engouffrent ! La laïcité nous assèche ! Moi, je ne suis pas juive. Si je l'étais, je partirais immédiatement en Israël ! Et je vous le dis à tous : « Faites une alya d'amour, de foi, pas de peur. » (Applaudissements.)

Victor : Les vieux antisémites à la Le Pen, ils étaient d'une France d'avant les Arabes ! Heureusement pour

Marine, les Arabes ont pris leur place. Elle n'a plus besoin d'être antisémite, les Arabes le sont pour elle !

Un temps. Puis tous ensemble :

Victor, Aline et Georges : C'est la faute à vos médias vénéneux !

Moi : Je l'attendais, celle-là. Ils ont bon dos, les médias !

Les mêmes : Ils respirent tous la haine d'Israël !

Moi : Je croyais que les médias étaient « aux mains des juifs ». Faudrait savoir... Et ne pas dire n'importe quoi, tout de même !

Victor : Vous avez vu comment ils décrivent la situation en Israël ? Hier, ils ont dit, au journal : « Encore un Palestinien tué ! » Et après, ils ont ajouté qu'il s'agissait d'un gars qui faisait une attaque au couteau ! Juste après ! Mais le mal était fait. Ce que l'on retient, c'est que les juifs tuent des Arabes... « innocents » en plus !

Un temps. Celui de l'approbation. Puis une linguiste, élégante et belle, me lance un ultime coup de dague :

Elle : Monsieur Moati, si je peux me permettre, il faut faire attention ! Ne pas parler des rapports entre les juifs français et ceux qui font leur alya comme d'« allers-retours ».

Moi (bêta) : Oui... Mais à quoi je devrais faire attention ?

Elle : C'est très dangereux ! Les antisémites et les antisionistes ne vont retenir que le mot « retour » ! On croit qu'ils partent soi-disant pour de vrai, les juifs, bon débarras, ouf, qu'ils s'en aillent, eh bien non, ils reviennent ! Ils partent et ils reviennent ! Des fous !

Moi : ??? Je vais renforcer l'antisémitisme, c'est ça ?

Sourire énigmatique de la dame. Puis elle ajoute :

Elle : Sans le faire exprès, oui !

Moi : Allons bon ! Même si c'est vrai que beaucoup partent et reviennent, ce serait « antisémite » que de dire cette vérité ?

Elle : Oui !

*
* *

À bientôt. Merci. Le cours reprend. Je m'en vais, sur la pointe des pieds et la tête bien basse. Spectacle étrange donné par un homme de mon âge, troublé, agité, stupéfié, même, par tout ce qu'il vient d'entendre. J'ai entendu, oui, la grande inquiétude et, surtout, la volonté fortement exprimée ici de partir pour Israël. Mais la véhémence du ton m'a sonné. J'ai quitté ces femmes et ces hommes du Centre communautaire légèrement abasourdi et vaguement déprimé. Ils semblaient « complets », ressoudés, « à l'aise dans leurs baskets », comme m'a dit l'un d'entre eux. Leur peur d'un avenir français, considéré comme très sombre, leur grand pessimisme, alimenté par la noire vision d'une fatalité répétée, a provoqué en moi une sorte de vertige.

*
* *

Après avoir entendu ces étudiants, parfois à la retraite ou tout jeunes, j'ai frémi. Que leur a donc fait la France qu'ils professent d'aimer encore, après l'avoir adorée, pour tant les décevoir aujourd'hui ? Ils ne reconnaissent plus ce pays auquel, disent-ils, ils doivent pourtant beaucoup. Ce pays qui aurait changé d'allure, et se serait affublé d'un masque grimaçant, celui de la « haine antisémite », entre Soral et Dieudonné, banlieues radicalisées et beaux quartiers à l'ancienne, le tout sur fond de montée du FN et d'attaques terroristes. Et ce pays, ils ne l'aiment plus, disent-ils, « comme avant ».

Les enfants de Paris

Le lendemain, avec une vaillance retrouvée et une vraie curiosité, j'ai continué. Me voici dans une école juive de Paris. Je suis accueilli par deux militaires en faction, puis par une jolie directrice, entourée de quelques parents d'élèves, tous les pères portant la kippa.

L'enseignante me lance :

– Je suis une directrice d'école. Nuance : je suis une directrice-juive-d'une-école-juive ! Avouez qu'il y a une drôle d'ambiance, ici, non ? Avec ces militaires à l'entrée qui font peur à nos enfants qui ne savent plus où ils sont ! Dans une prison ? Dans une caserne ? Pas dans une école, en tout cas !

– Les militaires ne servent à rien ?

– Je n'ai pas dit ça. Heureusement qu'ils sont là. Mais c'est anxiogène pour les gamins. D'ailleurs, tous les deux ou trois mois, une famille fait son alya. Il y a mille huit cent cinquante enfants juifs de moins dans nos écoles à Paris depuis deux ou trois ans !

– Ils vont où ?

– Soit en Israël, bien sûr, soit dans les écoles privées catholiques, mais oui pour la qualité de l'enseignement !

– Ils ne vont pas dans les écoles publiques ?

– Non, jamais ! Il y a trop d'enfants arabes dans le public ! C'est impossible. Il n'y a plus d'identité française ! C'est fini. On n'a pas intérêt à se promener avec un drapeau israélien. Alors que, avec un drapeau algérien, on a tous les droits. Regardez dans les stades. Souvenez-vous, aussi, du soir de l'élection de Hollande en 2012, place de la Bastille. Que des drapeaux algériens !

– Que pensez-vous faire, madame ?

– Le climat qui règne en France va tous nous pousser dehors ! Je voudrais faire mon alya… Mais mon mari, hélas, est comptable.

– Pourquoi « hélas » ?

– Parce qu'un comptable, ça ne s'exporte pas en Israël. Pas d'équivalence. Plombier, ça va. Carreleur, ça va. Mais pas comptable.

Un temps. Elle conclut :

– Une amie à moi, une catholique, à la salle de sport, m'a dit : « Vous les juifs, au moins, vous avez Israël… Mais nous, qu'est-ce qu'on va devenir ? » C'est drôle, non ?

Pas sûr.

Une jeune maman, Corinne, intervient, grave :

– Bientôt, c'est 2017 !

– Ça ne m'a pas échappé...

– Cela va être l'année de tous les dangers.

– Développez... Je peux m'asseoir ?

– Oui, bien sûr ! L'extrême droite et l'extrême gauche sont complices. L'extrême gauche est encore plus dangereuse pour nous que l'extrême droite, parce qu'en plus, elle est antisioniste !

Un papa opine du chef et enchaîne :

– Hier, j'étais aux Galeries Lafayette. Vous savez à quoi je pensais ?

– Non, dites-moi...

– Eh bien, qu'il n'y aura jamais aux Galeries une « semaine d'Israël ». Faut pas rêver. Israël « colonisateur », comme ils disent. Tu parles, on récupère ce qui est à nous, c'est tout !

Micheline, copine de Corinne, voulait prendre le relais, mais c'est Valérie qui lui brûle, promptement, la politesse :

– Le royaume de l'anxiété est tout autour de nous... Le plus beau, c'était France 2 avec Pujadas... « Des faits et des actes », je crois...

– Non... « Des paroles et des actes ».

– Oui, c'est ça. Il avait invité Alain Finkielkraut. Et à qui il a donné la parole ? À une soi-disant prof d'anglais ! Une *fausse* prof, mais une *vraie* militante anti-israélienne, antisioniste et antisémite ! Pourquoi lui donner la parole ? Allez savoir ? Qu'est-ce qu'elle faisait là ? C'était juste de la propagande antisioniste et anti-juive insidieuse ! Ils ont trouvé que c'était bien de faire intervenir une beurette très jolie ? C'est « tendance », c'est ça, monsieur Moati ?

Et Micheline continue :

– L'extrême gauche fait vomir. Et la gauche, la vôtre, se tait ! Pour un Claude Goasguen, ami d'Israël et maire du 16e arrondissement, il y a toute une meute d'anti-juifs !

– Y en a pas au pouvoir, je veux dire au gouvernement ou dans les partis républicains ! C'est faux. Vous ne pouvez pas dire ça ! Et puis, on a le droit de ne pas être « fan » d'Israël et de sa politique actuelle... C'est tout de même pas être antisémite !

Micheline prend le relais :

– Pff !... On est dégoûtés qu'Israël ne soit jamais reconnu ou simplement écouté ! À la télé on ne parle que de la guerre, ou des « mauvaises actions » des Israéliens. Rien sur le vrai pays, sa création artistique, ses sportifs, sa gastronomie, je sais pas, moi ! Israël n'est jamais montré comme un pays normal ! Toujours les attentats, et toujours les « méchants » Israéliens et les « gentils » Palestiniens ! Et ici, les Français croient, naïfs qu'ils sont, qu'en ne défendant pas les juifs, en les sacrifiant, ils vont s'en sortir ! Quelle plaisanterie ! Ils s'en sortiront pas !

Un autre homme, Jean-Michel, intervient à son tour :

– C'est l'omerta au niveau des médias inféodés aux Arabes. Qui paie commande. C'est tout ! Y a plus de valeurs en France. Y avait que le Front national qui osait le dire, mais personne ne voulait l'écouter ! Ça va exploser, péter en mille morceaux !

Jacqueline surenchérit :

– Vous voulez me dire la différence qu'il y a entre Clémentine Autain et Marine Le Pen ? Kif-kif. C'est du pareil au même. Deux blondinettes fadasses toutes les deux, en plus !

Ils rient tous. Pas moi. Valérie reprend la parole :

– Les Arabes grignotent tout et partout. Ils se développent insidieusement. Ils ont un double discours. Tous. Comme l'autre, là, Tariq Ramadan. Lui, c'est le roi des hypocrites. Et les politiques ne pensent qu'à avoir leurs voix, aux islamistes ! Comme la gauche, à l'époque, avec son fameux « Droit de vote aux immigrés » ! C'était juste pour mettre les Arabes dans la poche ! « Je te protège, je finance ton association, mais tu votes pour moi. J'ouvre ta mosquée et ton soi-disant imam qui parle même pas français, il dira ce qu'il veut… » Et on les a entendus, à Brest, dans les banlieues ou ailleurs. Que de la haine !

Je suis obligé de partir : cela me soulage. Je ne me sens pas bien. J'imagine ce qu'aurait pu ajouter, en me voyant, un sioniste empli de tranquille certitude : « Le juif dans la Diaspora est un juif qui boite comme Jacob au sortir de son combat avec l'ange. Victorieux mais honteux. Le sioniste, celui qui fait son alya, ne veut plus boiter. D'ailleurs, il ne boite plus. »

Contrairement à moi, donc. Je boite. Tant pis.

Un rabbin, l'an dernier, m'avait dit, au cœur de la Cisjordanie occupée :

– Tu vois, Serge, ça ne sert à rien de lutter contre les ténèbres. Il vaut toujours mieux allumer la lumière. Nous avons réussi à refermer le cercle de l'exil. Chaque jour que nous vivons ici, chaque arbre que nous plantons ici, chaque maison que nous bâtissons ici, chaque enfant qui naît ici, ce sont autant de gifles à la face des antisémites...

– Des gifles aussi à la face des Palestiniens, non ?

– Tais-toi, Serge, m'avait répondu le rabbin.

Antoine l'avocat

Paris : je rencontre Antoine, un avocat qui a jadis été un grand sioniste et un fervent religieux. Il a décidé, il y a peu, de quitter son cabinet plutôt florissant et de partir à la rencontre, dit-il, de son « identité profonde », la seule qui comptait alors pour lui : l'identité juive. Une quête absolue. Mais aussi un échec dont il n'aime pas parler. Une montée, une alya. Une descente, une yerida. Une histoire d'amour vif avec Israël suivie d'une déception très amère. À Jérusalem, Antoine a dû changer de job, faute de pouvoir exercer son métier d'origine, lui dont Paris se disputait les conseils avisés, étayés par un vrai talent acquis au fil des années. Tant pis : Israël valait bien, non pas une messe, mais une conversion (professionnelle)... Puis, non... Ce qui a vraiment motivé, m'explique-t-il, son retour à Paris, a été une grande colère : l'instrumentalisation à des fins politiques de la religion par la coalition de droite au pouvoir. « Au nom de Dieu et de ses “préceptes” mal compris, on peut tout faire là-bas. Ils interprètent le Talmud à leur convenance, ils font ce qui les arrange. Ils mettent Dieu à toutes les sauces ! » Un jour, trop, ç'a été trop… Comment s'opposer aux paroles du Très-Haut ? Comment résister à un discours mystique et messianique qui déferle du côté de la Knesset, le Parlement israélien ? Alors, non, Antoine n'a plus supporté le climat de Jérusalem et pas seulement en raison du réchauffement de la planète, qui n'épargne pas même les hauteurs de Judée. Basta. Le nouvel Israélien s'est rebellé : laissons Dieu là où il est. Pas au pouvoir de la cité. Un an plus tard, il est redevenu français. Toujours juif. Mais avec le sentiment d'avoir été trompé. Antoine s'est trompé d'histoire d'amour. Une « descente » douloureuse. Comme les autres. Une blessure. Mais singulière. Et profonde. Un aller quasi mystique et, surtout, un retour clopin-clopant. Mais la vie, elle, a repris ses droits et Antoine retrouvé son cabinet.

Combien sont-ils, comme Antoine, à revenir en France et à faire cette « descente » qui a suivi leur « montée » en Israël ? C'est impossible à savoir avec précision. Certains parlent de 30 %… D'autres, beaucoup, reviennent en France puis repartent en Israël, ou le contraire. Israël, allers-retours… Celles et ceux qui repartent ne le clament ni, encore moins, ne le proclament sur les plages des villes côtières autour de

Tel-Aviv ou sur celles de la mer Rouge du côté d'Eilat. Repartir est comme l'aveu d'un échec, d'une défaite. Toujours. Pour l'émigrant, comme pour Israël. Y aurait-il donc de sombres ratés dans la politique d'intégration d'hadashim ? Cela se murmure. Pourquoi donc tous ces 25 à 35 % de yeridot (le pluriel de yerida) ? La question se chuchote et les réponses possibles s'esquissent dans le désordre :

a) La difficulté de trouver un travail digne de ce nom et de son passé hexagonal, en raison d'une insuffisante pratique de cette satanée et difficile langue qu'est l'hébreu ;

b) La non-équivalence de certains et nombreux diplômes. (Une plaie récurrente !) ;

c) Les loyers inabordables ;

d) Les aides sociales israéliennes très inférieures à ce qu'elles sont en France, qui apparaît, avec le recul, comme une sorte de paradis.

Bref tout cela et souvent à la fois. Mais, surtout, il convient de ne pas trop dire que l'on quitte Israël parce que l'on n'a pas trop aimé y vivre au quotidien ! Cela ne se fait pas. On parle, on met en avant des raisons strictement économiques : ça passe mieux et ça se comprend bien. Alors, ainsi, reviennent ceux qui sont partis comme « juifs » et se sont sentis au loin « français », très « français », entre Jérusalem, Netanya et Tel-Aviv… Ainsi va la vie. Elle est parfois mélancolique, comme un aller-retour non couronné de succès…

Alain l'ingénieur

Dimanche matin. Un autre visiteur frappe à ma porte. C'est l'Agence juive qui m'a présenté ce candidat à l'alya. Le visage d'Alain est grave. Oui, il veut partir. Son fils de dix-sept ans est autiste. Il souffre depuis longtemps. Angoisses primaires. Impossibilité de se concentrer. Très important retard mental.

J'écoute. Je ne sais pas bien quoi dire. Je manifeste, comme je peux, de la compassion. Elle est sincère, bien sûr, envers cet ingénieur de haut niveau qui fut, jusqu'à l'an dernier, le numéro deux ou trois d'une immense entreprise internationale. Alain me raconte :

– Si je veux partir en Israël, c'est avant tout pour mon fils. Là-bas, les autistes, tout le monde vous le dira, sont magnifiquement soignés, et jamais stigmatisés. Je suis allé en Belgique, comme tout le monde, en Suisse, comme un grand nombre de parents, et partout, on m'a dit : « Allez voir en Israël. » J'ai mené une vraie enquête. J'y suis allé, j'y suis retourné. C'était exact : on revit en Israël. Ici, pour les enfants, comme pour leurs parents, c'est un enfer. Ma femme, elle, est une sioniste convaincue. Elle rêvait d'Israël. Depuis sa jeunesse. Alors, on va y aller. Et de grand cœur.

– Mais vous, Alain, vous êtes aussi sioniste que votre épouse ?

– Honnêtement, dans ma famille on a des biens, alors on part, pour des raisons fiscales, vers les États-Unis ou le Canada. Mais pour mon fils, ce sera Israël. Avec bonheur. C'est un devoir pour moi, un rêve pour ma femme.

– Vous dites que pour vous c'est un « devoir » ?

– Oui, une mitsvah, un devoir. Vous vous rendez compte : une vie nouvelle. Une vie tout court. Ici, c'est toute une famille – nous avons aussi une fille – qui souffre. Là-bas, les institutions, toutes privées et gratuites, financées par des mécènes américains, viennent chercher les enfants à sept heures trente, le matin, à domicile, et les ramènent à vingt heures. Et ceci, six jours par semaine, toute l'année. En Israël, le handicap n'est pas une honte ! Ils en ont l'habitude, avec les traumatisés des guerres. Dans le lieu de soin que j'ai visité, proche de l'appartement que j'ai loué, il y a dix professeurs pour dix enfants ! Nous serons, ma femme et moi, pleinement rassurés. Imaginez, en France, quand on ne sera plus de ce monde, notre fils sera placé dans un soi-disant « foyer », un mouroir, en vérité !

– Un « mouroir » ?

– Il n'y a pas d'autre mot. En Israël, on ne laisse pas mourir un enfant juif. Jamais.

– Comment pouvez-vous penser qu'on laisse mourir des enfants ici, juifs ou pas ? C'est invraisemblable ! Et, pardonnez-moi, assez honteux de penser ça !

– Mais pourtant vrai ! Je vous le dis. Demandez aux associations... Demandez-leur.

– Je vous entends, mais je suis très choqué par ce que vous venez de me dire !

– Tant pis. Je viens de vous parler de ma première et puissante motivation.

– Quelle est l'autre ?

– Israël est un pays de droite...

– Et ?

– Et je suis très libéral...

– Et ?

– Et je ne supporte plus les socialo-communistes...

– Aïe.

– Eh oui. Israël est un pays d'entrepreneurs. Même si je suis, depuis quelques années, à la retraite, je veux encore travailler ! En France, on ne peut rien faire. Y a que de la bureaucratie. Des lourdeurs et de la paperasse. En Israël, hélas, il y a les juifs...

– Oui... Quoi, « hélas », les juifs ?

– C'est un sacré problème ! Tous ceux qui montent des affaires là-bas se font dépouiller et baiser ! C'est clair ?

– Assez... Pourquoi ?

– Y créer une boîte c'est presque suicidaire : les ashkénazes, rois des marchés, ne sont pas des tendres !

– Alors, qu'est-ce que vous allez faire ?

– On verra plus tard ! Pour le boulot, je me débrouillerai, j'ai quand même une sacrée expérience. Mais je veux tout d'abord m'occuper de mon fils et voir ma femme heureuse, alors qu'ici, elle n'en peut plus ! On veut fuir la honte française qui exclut les handicapés.

– Une « honte »... ? Une France qui « exclut » ?

– Oui, c'est exact. Et puis...

– Et puis ?

– En Israël, l'argent qu'on donne va aux juifs. Point barre. En France, on donne à tout le monde, sauf aux Français. Trop d'impôts. Trop d'Arabes. Et ceux-là, ils méprisent les Français qui se flagellent en permanence et culpabilisent vis-à-vis de tout, y compris de leur passé colonial. Ce pays qui se veut « socialo » – comme vous, je crois, monsieur Moati... – aide les Arabes, mais pas les handicapés. Les juifs, de manière générale, n'en peuvent plus ! À Courbevoie, là où j'habite, ils ont tous peur ! Quand je promène mon chien, le soir, dans certaines petites rues, on n'entend parler qu'arabe... Et, croyez-moi, ils ont une haine terrible de la France. Et c'est pas qu'une petite minorité, ça va bien au-delà des tueurs de Daesh !

– Mais en Israël, c'est plein d'Arabes...

– Merci, je sais. Mais on sait les traiter. Et ils se tiennent à carreau. Ils ont pas intérêt à moufter comme ceux d'ici.

Un temps.

– Bon, je vais partir retrouver mon fils. On ne sera plus en France à l'été. Je vous ai choqué, j'en suis sûr. Mais j'ai parlé avec mon cœur.

– Oui, Alain. Bon courage.

– Merci.

Il s'en va. Je m'alite ou je fais quoi ? Mon père, juif, socialiste et patriote français, se retourne dans sa tombe. Je l'entends d'ici. Et moi, tout comme papa, je ne me sens pas bien. Pas bien du tout. Est-ce que je rêve d'un Israël d'antan qui n'existerait plus ? Malgré tout, je continue. J'écoute…

Aller-retour ?

Je reçois aussi « une » et « un » autres représentants de l'alya « à l'envers », la yerida. C'est-à-dire qu'après avoir fait leur montée en Israël, ils ont ensuite fait leur descente vers la France de leur naissance. Ils sont nombreux, comme eux, comme Antoine, l'avocat mais ne sont ni comptabilisés ni médiatisés : le sujet est tabou, il est perçu comme l'histoire d'un aller souvent enthousiaste et d'un retour toujours déprimant.

L'un : Un juif a bien du mal à dire du mal d'Israël ! C'est très douloureux, surtout que j'avais tellement rêvé d'aller y vivre ! Je me suis planté. J'ai eu tout faux. C'est dur !

L'une : Là-bas, ce ne sont pas des juifs qui habitent, mais des Israéliens. Nuance ! Elle est de taille. Pour eux, on était, nous, juste des Français ! Beaucoup de copines de là-bas m'ont demandé pourquoi, oui vraiment pourquoi, j'avais quitté la France, elles qui voulaient tellement y aller rêver et s'y balader !

L'un : Quand tu leur réponds que t'es venu en Israël « par sionisme », ils se marrent !

L'une : J'étais carrément prise pour une cinglée ! Sionisme ? Kezako ? On est restés près de Tel-Aviv un peu plus de deux ans…

L'un : On y a claqué le peu d'argent qu'on avait mis de côté… En Israël, venant de France, ça te fait un choc ! Disons-le : c'est nul côté aides sociales, sécu, protections de toutes sortes ! Nul !

L'une : « La Terre promise n'est pas la terre donnée », comme on dit ! En tout cas, pas pour tout le monde.

L'un : Et on te parle pas des conditions de travail : on te vire, on te jette dès que t'as le malheur de déplaire. À la fin, je faisais dix jobs à la fois. On a deux enfants ! Fallait les nourrir. Alors, tu bosses, tu bosses ! C'est marche ou crève !

L'une : En plus, tu ne vois que des Français parce que tu ne parles pas bien l'hébreu. Israël, c'est fait pour les très jeunes ou les très vieux. Pas pour les couples comme nous… De la trentaine, quoi ! On s'est jamais sentis aussi français que là-bas ! On a pris, un petit matin, la décision de partir, après toute une nuit où j'avais pleuré. Ras-le-bol ! Pas de fric, pas de perspectives ! Rien de bien. Un rêve en morceaux. On y reviendra peut-être quand on sera bien vieux et on y vivra alors de notre retraite payée en euros ! Là, ça deviendra possible !

L'un : Ouais. On est tristes. Ma femme t'a dit qu'elle avait pleuré, moi aussi, et souvent. Moi, le sioniste, j'avais mal au cœur. Même te raconter ça, c'est dur, ça ne me plaît pas : j'ai l'impression de trahir Israël ! Comme si, en plus, j'accusais le pays de rater sa politique d'intégration ! Je rentre en France assez honteux. (Un temps). J'ai l'impression, aussi, d'avoir été « utilisé ».

Moi : ???

L'un : Oui, utilisé ! Par la droite israélienne et les mouvements juifs de droite et sionistes de France qui nous font venir pour renforcer leurs rangs. Là, avec nous, ils ont fait un mauvais investissement. Nous, les juifs de France, on est diplômés et tout. On a fait une alya d'amour pour Israël mais aussi une alya de « peur » ! Peur pour l'avenir ! Surtout celui de nos enfants ! Dommage pour l'amour perdu. Quant à la peur, elle est toujours là !

L'une : Enfin, ce n'est tout de même pas l'« alya-détresse » ou l'« alya-misère », on n'est pas des Éthiopiens ! Faut pas exagérer ! Moi qui étais juriste à Paris, je me suis retrouvée à travailler dans un call-center – parce que, soi-disant, et tu te demandes bien pourquoi, il n'y a pas d'équivalence des diplômes… Ça te fait tout drôle…

L'un : T'en prends un coup à l'ego ! Un sacré coup !

L'une : Mais on est beaux ! Et jeunes !

L'un : Toi, surtout !

L'une : C'est ça, être juif. On est « errant » par définition et de naissance ! On fait des allers-retours toute notre vie… Et pour les plus jeunes, ça ira de soi ! Miami, Londres, l'Australie, Johannesburg…

L'un : Un petit séjour en Chine, un autre à Bombay ! Le triomphe mondial des juifs errants !

L'une : Allez, quand on aura l'âge de la retraite, enfin, juste avant, on dira peut-être à nouveau : « L'an prochain à Jérusalem ! »

Bon. Il faut que j'aille y voir de plus près ! Demain, je m'envole vers Israël.

Dans l'avion pour Tel-Aviv

Dans l'avion qui me mène à Tel-Aviv, je potasse et tente d'échapper aux sollicitations répétées de mes aimables voisins, tous barbus et porteurs de kippa. Ceux-ci veulent que je me joignent à eux : c'est l'heure de la prière. Désolé, je ne prie pas. Désolé, je travaille.

L'un : M'étonne pas !... Il veut pas nous parler ! On est pas assez bien pour lui !

L'autre : Alors, monsieur Moati, vous allez en Israël ? Vous n'aimez pas Israël, pourtant !

Moi : Qu'est-ce que vous en savez ?

Un troisième : Vous allez encore dire du mal de nous ?! On regarde ce que vous faites, vous savez ! Et on n'aime pas votre côté juif honteux ! Pas du tout !

Moi : Je suis tout sauf « juif honteux » ! Mais, s'il vous plaît, laissez-moi ! Merci.

Je me concentre.

Ou fais semblant.

*
* *

Je tente de lire. Je surligne même. Je parcours, mais attentivement, les brochures de l'Agence juive. « Tout savoir », oui, on peut, on doit, tout savoir sur « l'alya ». Elle se prépare : « On n'émigre pas sur un coup de tête. » Alors, on réfléchit, on ne cède pas à la panique et on se calme, nous conseille l'Agence qui décrit les étapes à franchir pour les candidats au départ.

Je résume et je cite :

1/ *Avant...*

a) Réunions d'information : Vous *devez* participer à des rencontres. Il y en a plusieurs chaque semaine dans les locaux de l'Agence juive ou dans les lieux communautaires. Cliquez ici pour connaître les dates qui vous conviennent selon votre tranche d'âge...

b) Ouvrir un dossier

Joignez les téléconseillers Alya au Global Center de l'Agence juive.

Cliquez ici

c) *Prendre rendez-vous avec un conseiller Alya*

Rencontrez-les (*0800.916.647*). Cliquez ici

d) *Vérification d'éligibilité / « loi du Retour »*

Remettez-nous tous les documents requis (état civil et certificat de judéité). Nous pourrons ainsi vérifier si vous pouvez bénéficier de la citoyenneté israélienne dès votre arrivée au pays. Cliquez ici

e) *Obtention du visa d'émigration*

L'Agence juive, après validation, préparera votre « visa d'alya », par le biais du consulat d'Israël en France. Cliquez ici

2/ *Le départ...*

Après avoir obtenu votre visa, vous fixerez une date de départ parmi celles proposées. Vous recevrez alors un billet d'avion (aller) offert par l'Agence juive pour rejoindre la Terre d'Israël et devenir israélien. Et vous serez ainsi un olé hadash, un nouvel immigrant. Cliquez ici

*
* *

Un rappel :

David Ben Gourion, père de la Nation, proclama en mai 1948, lors de la création de l'État d'Israël : « L'État d'Israël sera ouvert à l'émigration des juifs de tous les pays où ils sont dispersés. » Ceci fut fait et inscrit dans la « loi du Retour » (juillet 1950) : « Tout juif a le droit d'émigrer en Israël. » À deux exceptions près : 1) « le candidat ne doit pas être convaincu de mener des activités dirigées contre le peuple juif », 2) « le candidat ne doit pas être convaincu d'avoir un passé criminel ». Une fois ces éventuels empêchements fort heureusement levés, il convient, en outre, de s'entendre sur la définition même du mot « juif », qualité qui vous fait obtenir, sur-le-champ, un passeport israélien : « C'est une personne née d'une mère juive, ou convertie au judaïsme, et qui ne pratique pas une autre religion. »

La susdite loi de 1950 fut étendue, en 1970, aux « enfants et petits-enfants d'un juif », à son conjoint, et « au conjoint d'un enfant ou d'un petit-enfant d'un juif ». Sans oublier, depuis peu, « les conjoints du même sexe d'une personne éligible à la loi du Retour ». Les militants français de la Manif pour tous n'empruntent que rarement, semble-t-il, les chemins escarpés du « retour à Sion ».

L'avion survole la Grèce pendant que les brochures de l'Agence juive me rappellent, s'il en était besoin, que le nouvel émigrant sera dispensé pendant dix ans de payer l'impôt sur ses revenus provenant de l'étranger, qu'il bénéficiera d'une assurance sociale et médicale gratuite pendant un an, d'un « panier d'intégration » dont le montant est variable suivant la composition de sa famille, et de cinq cents heures d'apprentissage de l'hébreu sous forme de cours gratuits et obligatoires. Bye-bye, la Grèce survolée et le monde des goyims[1] qui ne peuvent, eux, contrairement à moi, bénéficier des droits et privilèges de la loi du Retour si tel était mon désir. En outre, je n'ai pas, à ma connaissance, de passé criminel, pas plus que je ne mène, ou alors

1. Les « non-juifs »…

bien involontairement, des « activités dirigées contre l'État d'Israël ». Mais il y a un *hic* : je n'ai pas, ou alors je ne sais pas où je l'ai mis, de « certificat » de judéité. Seuls les antisémites militants, les téléspectateurs attentifs de certains de mes films et mes hypothétiques lecteurs savent que je suis juif. Ou bien alors peut-être faudrait-il retrouver le rabbin de Tunis qui m'a circoncis il y a bien longtemps, mais, hélas, le pauvre homme doit être mort à l'heure qu'il est. Quant à moi, je n'avais, alors, que huit jours et ne me souviens pas précisément du nom du saint homme, ni des larmes de ma mère, et encore moins de mon prépuce perdu dans la mêlée.

*
* *

Comme on va atterrir, ceux qui priaient reviennent s'asseoir. D'autres, encore debout, m'entourent. Je suis un peu cerné. Il y a « presque » une sorte de compassion dans leurs yeux pour le « presque » athée que je suis, pire qu'un goy, ou même qu'un ashkénaze. C'est dire.

L'un d'entre eux, soudainement quasi fraternel, me confie :

– Là-bas, on est chez nous ! À l'aise. En sécurité. En Israël, tu pourras sortir, sans aucun problème ! Même à trois heures du matin ! Alors que, franchement, en France, ça craint, avoue !... À part si tu habites, Serge, dans les beaux quartiers, ce qui doit être ton cas, non ? Dans ce cas, je parie que tu n'as jamais entendu crier : « Mort aux juifs ! » C'est ça ? Là-bas, personne ne te dira d'enlever ta kippa – remarque, tu n'en portes pas ! – ni ne t'obligera à travailler ou à passer des examens, comme mon fils Julien, durant le shabbat…

Un autre, moins avenant, me rappelle doctement que :

– Là-bas, monsieur Moati, on a une économie du tonnerre : 2,8 % de taux de croissance en 2016 ! 2,8 % ! Qui dit mieux ? Sûrement pas vous, vous n'oseriez quand même pas !

Là-bas, on est une « start-up nation » et le monde entier nous envie !

Un troisième enfin :

– Là-bas, oui, c'est un rêve, par rapport à cette France lourde, rouillée, cadenassée, où l'on ne peut rien faire avec vos syndicats, vos grèves à tout bout de champ, et surtout, pardonnez-moi, les millions d'Arabes, vos copains, qui peuplent les mosquées wahhabites ! Un pays foutu ! Sans avenir pour nous et, surtout, pour nos enfants ! Compris ?

Un temps.

– Compris ?

Un autre temps.

Les hôtesses prient, fermement, mes inlassables prosélytes, de bien vouloir regagner leurs sièges. Ils obtempèrent. Dieu merci.

Dans ma tête, tous les arguments qu'ils brandissent, comme pour justifier et fonder leur alya, se mêlent.

Les Arabes redoutables et redoutés, tous ou presque terroristes en puissance en France et « matés » en Israël, les start-up enviables là-bas, les syndicats français paralysants la France, la quête d'une identité juive enfin retrouvée en Israël… Autant de points d'ancrage et de fixation auxquels un « juif honteux » comme moi ne saurait, évidemment, rien comprendre.

*
* *

Je ferme les yeux. Un peu. Mais…

Mon voisin : Que se passe-t-il, monsieur Moati, vous avez l'air soucieux…

Moi : Ouais… Non…

Mon voisin : oui ou non ?

Moi : Non, juste, je pense à tout ce que j'entends… Il y a quand même, dit-on, entre 25 et 30 % des émigrants juifs de France qui repartent dans l'autre sens et descendent après une montée, disons par trop escarpée, en Israël ! J'ai rencontré un jeune couple avec deux enfants dans ce cas-là, à Paris. Un avocat aussi.

Mon voisin : Bon… Bon… L'adaptation peut être rude, c'est vrai… Normal ! Il faut du temps. Et de la foi, aussi ! En Dieu et en Israël.

Moi : J'entends aussi dire, mais ça va vous énerver, qu'il y a également beaucoup d'olim de France qui pratiquent « l'alya-Boeing » : 25 % des gens feraient des allers-retours entre les deux pays. Ils gardent un travail en France, y stabilisent leurs revenus avant de s'installer, peut-être, définitivement en Israël… Vrai ou faux ? On m'a même conseillé de revenir me promener à Roissy le vendredi. Juste pour voir tous ces dentistes, médecins, avocats, qui prennent l'avion pour Tel-Aviv afin d'y passer le shabbat, et reviennent le lundi à Paris. Vrai ou faux ? Vrai ou faux, qu'il n'y a toujours pas d'équivalence des diplômes, pour les médecins et, en général, pour les professions paramédicales, sans oublier les avocats et…

Mon voisin : Tout ça va s'arranger !

Moi : Et je ne vous parle pas de l'alya dite « fiscale » ! Des gens fortunés qui auraient pu aller à Bruxelles ou à Miami, mais comme ils sont non seulement friqués mais aussi sionistes, ils ont choisi Israël, sans toutefois oublier les avantages fiscaux qu'offrent ce pays !

Mon voisin (outragé) : Quoi, des avantages ? Des « avantages fiscaux » ! Baliverne ! Ce sont juste des dispositions tout à fait légales, lé-gales, cherchant à favoriser l'installation en Israël de certaines personnes aptes à favoriser le développement économique du pays ! C'est tout !

Moi : Mais ça concerne beaucoup de monde, non ?

Mon voisin : Regardez, monsieur Moati !

Voici la côte d'Israël.

Voici Tel-Aviv.

Je ne resterai ici, cette fois-ci, que deux jours. Je vais rencontrer mon assistante Laurie Lévy, elle me fera un point sur les témoins d'origine française qu'elle a déjà, peu ou prou, rencontrés et qui me parleront de leur alya.

Je reviendrai, bien sûr. Et plus longuement.

On atterrit. En douceur. Tout l'avion applaudit.

« No stamp please »

Aéroport. File d'attente. Je me sens tout petit, en contre-plongée, devant la fliquette immense et souveraine. J'ai appris par cœur la phrase magique « No stamp, please ! » « Pas de tampon (israélien) sur mon passeport, s'il vous plaît. »

Je garde le souvenir cuisant d'un ancien voyage : aéroport, file d'attente, mon fameux : « No stamp please. » La policière d'alors m'avait toisé avec un mélange de robuste indifférence et d'absolu mépris. Puis elle m'avait gratifié d'un « Why ? » exaspéré et las.

J'avais bredouillé une laborieuse, mais sincère, explication multilingue : « Je fais des films... pictures, you know ? Et je tourne, I am filming, shooting and shooting, beaucoup dans les pays arabes, arabic countries, et it's no time, c'est pas le moment de... It's not good to have un stamp israélien. »

Elle m'avait foudroyé du regard, ses lèvres minces avaient esquissé un sourire cruel et, toc, elle avait donné un terrible coup de tampon sur mon inoffensif passeport qui ne lui avait pourtant rien fait.

Vexé, humilié, furieux, je l'avais apostrophée : « You are stupid ! »

Ça ne lui avait pas plu. Du tout. Elle avait appelé ses collègues, tous des géants, ceintures noires de judo et de krav-maga, viril sport de combat et d'autodéfense local. Ces garçons, qui auraient pu être mes fils sous d'autres latitudes, m'avaient empoigné, alors que la méchante hurlait en un anglais, hélas, parfait : « Il a dit que j'étais stupide ! Stupide ! »

J'avais été poussé par mes cerbères musclés dans une petite salle. Ils étaient six, j'étais seul. Et j'avais subi un sévère interrogatoire. Étais-je plus proche du Hezbollah que du Hamas ? Voulais-je commettre un attentat en Israël ? Si oui, pourquoi ? Étais-je, d'ailleurs, lié à des réseaux terroristes ? « Nous, on pense que oui », m'avaient-ils dit. Je n'en menais pas large. Mon irascible douanière nous avait rejoints. Elle avait fondu en larmes. « Il a dit que j'étais stupide ! » C'était affreux. À part me mettre à genoux et chanter un vieux cantique d'expiation, je ne savais quoi faire.

Brusquement, j'avais pourtant eu une idée. J'avais dit :

– Appelez Daniel Shek, il est ambassadeur d'Israël en France !

– Il croit nous impressionner ! Ici, on s'en fout, des ambassadeurs ! Tu as injurié cette femme, cette mère de trois enfants, et, à travers elle, c'est tout Israël que tu as insulté !

– N'exagérons rien. « Stupide », en français, ce n'est pas si méchant !

– On est pas en France ! Mais peut-être que tu ne reconnais pas l'État d'Israël ? Toi qui as honte d'y venir, la preuve c'est que tu ne veux même pas de tampon !

Ça sentait le roussi. J'avais insisté, pleurniché : qu'on me laisse téléphoner à « Dany » (Shek). C'est, après tout, un droit élémentaire de la défense dans n'importe quel pays démocratique.

– Tu nous donnes des leçons de démocratie, maintenant ?

J'avais tout faux. J'imaginais le bagne où je serais incarcéré durant de longues années, en plein désert du Néguev, en l'heureuse compagnie d'autres terroristes de mon espèce. Mais à la suite d'un miracle, habituel en cette terre où ils fleurissent, Dany Shek, l'ambassadeur avait répondu sur son portable. Un des champions du monde de krav-maga lui avait parlé :

Le champion : Shalom, police des frontières… On a devant nous un type très excité. Dangereux. Il a insulté une collègue. Un Français. Son nom, c'est… Serge Moati.

Dany : ???

Le champion : On veut l'embarquer.

Dany : Qu'est-ce qu'il a dit à ta collègue ?

Le champion : J'ose même pas te le répéter ! Il a dit qu'elle était « stupide ».

Dany : Ah... Tu peux me le passer... ?

L'épais champion m'avait tendu mon portable, qui semblait franchement minuscule dans sa pogne énorme. Dany m'avait alors parlé comme un prof sévère qui lance une solennelle mise en garde à un élève récalcitrant.

Dany : En anglais, « stupid », c'est terrible ! Vraiment. Une injure monumentale.

Moi : À ce point ?

Dany : Oui. Aplatis-toi. Présente tes excuses, fais-en des tonnes, tu sais faire ! Allez, vas-y ! J'écoute. Vas-y !

Alors, j'y étais allé. Ç'avait été affolant de démagogie et d'hypocrisie. Je m'étais fait honte. Je ne me serais pas imaginé capable d'une telle bassesse. J'ai parlé de mon amour immodéré pour Israël, de mon père mort dans un camp de concentration, de mon oncle le sioniste qui me trouvait encore plus sioniste que lui, de mon passé glorieux dans les kibboutzim, etc. Les flics n'en pouvaient plus. Ils bâillaient exagérément. Et moi, j'étais à bout d'arguments et, à part entonner une vibrante *Hatikva*, l'hymne national, j'étais à court d'idées.

Grâce soit rendue à l'Éternel sur les hauteurs, ainsi qu'à sainte Rita, patronne des causes désespérées, et surtout à Dany, l'ami de toujours, ils me firent signe de partir. Et vite. J'encombrais. Ouste. J'étais parti, la queue basse, sans demander de dommages et intérêts fort légitimes pour le temps perdu, le préjudice causé, et la profonde déception de cet accueil en Terre d'Israël réservé à un sioniste aussi ardent que moi, orphelin de la Shoah, ou presque, qui plus est.

*
* *

Cette fois-ci, donc, pas de problème. Et pas de tampon fatal. Mon histoire avait dû faire jurisprudence, pensé-je, follement prétentieux.

Je sors. Et je retrouve la jolie Laurie Lévy que l'Éternel, et Dany, toujours le même, ont mise sur mon chemin. Bisous. Et on quitte l'aéroport.

Elle conduit. Si on peut appeler ça « conduire ». Je ferme les yeux tant j'ai peur. Elle insulte qui arrive de droite, de gauche, ou de face, freine brusquement alors qu'il n'y a personne, et fonce alors que c'est hyper-dangereux. Bref, elle est israélienne. Elle est aussi (très) toulousaine, (très) jeune et (très) douée. De cela, je m'en apercevrai aussi vite qu'elle pilote le bolide de location.

Sur le chemin entre l'aéroport et Tel-Aviv, entre deux ou trois colères ou jurons multilingues, on fait connaissance en vrai, après s'être, auparavant à de nombreuses reprises téléphoné.

Je l'écoute :

– Je voyageais beaucoup quand j'étais petite, avec ma grand-mère catholique, eh oui, catholique, et je l'adorais. Un jour, j'avais six-sept ans... J'étais avec elle au musée des Augustins, à Toulouse. Je me suis mise tout à coup à pleurer devant un tableau du Christ en croix. J'étais bouleversée. En sanglotant, je lui ai dit : « Je ne veux pas que ton Dieu et le mien se fassent la guerre ! Moi, je suis juive, hein, eh bien c'est pas moi qui ai tué ton Dieu ! Je te jure ! » Elle m'a répondu : « T'inquiète pas, ma chérie, y a qu'un seul Dieu. Et c'est le même pour tout le monde ! »

– Joli… Belle réponse.

Après avoir beaucoup et frénétiquement klaxonné, Laurie me demande :

– Je continue à te raconter ma vie ? Ou tu en as déjà marre ?

– Non, bien sûr ! Je veux dire oui, bien sûr, continue !

– Du côté de mon grand-père, ils sont ashkénazes…

– Aïe !

– Les camps de la mort et tout ! Adolescente, j'ai essayé d'aller dans des groupes juifs de lycéens puis d'étudiants, mais ça dégénérait très vite : les discussions religieuses, ça me barbait. Et ça me barbe d'ailleurs encore. Moi, j'ai toujours été liée à Israël. Juste à Israël ! (Klaxon.) Qu'est-ce qu'il fait, ce con-là, avec sa tire de beauf ! (Puis :) … Je reprends ?

– Oui, mais roule moins vite, s'il te plaît ! J'ai pas envie de crever tout de suite ! Attends qu'on ait fini le bouquin, tu veux bien ?

– OK. Mais on est en Israël, ici, pas en Charente-Maritime.

– Qu'est-ce qu'elle t'a fait, la Charente-Maritime ?

– Rien ! Si on peut pas blaguer ! Sache seulement qu'on roule comme ça ici ! On est pas des lavettes ! (Rires.) À la fac, tout le monde savait que j'étais juive…

– Avec ton nom, Lévy, on peut le deviner sans être exagérément intuitif…

– À ce propos, à la fac, en cours d'espagnol, le prof a fait une blague genre *Rabbi Jacob*… Tu sais : « Quoi, Salomon, vous êtes juif ? » Il m'a lancé en plein cours : « Quoi, Lévy, vous êtes juive ? » Tout le monde s'est marré ! Et vraiment, je n'ai jamais eu aucun problème d'antisémitisme en France. Pourtant Dieu sait que, à Toulouse, on peut se faire emmerder. Ou même se faire tuer par un mec comme Mohamed Merah !

– C'est pour cela que tu as quitté Toulouse ? Après l'attaque de l'école et les pauvres gamins tués ?

– Oui. Et je ne suis pas la seule, crois-moi. On a été des centaines ! J'étais souvent venue en Israël et j'adorais ce pays. J'étais amoureuse, en plus, d'un Israélien ! Alors j'ai fait mon alya !

– Comment tu t'es organisée ?

– Tu dois passer par l'Agence juive. Quand tu habites à Marseille ou à Paris, où il y a un consulat ou l'ambassade d'Israël, c'est facile de les joindre. Ailleurs, c'est la galère ! À Toulouse, je te raconte pas le pataquès pour les contacter mais une fois que tu as réussi, ils te posent des questions et ils te disent que si ta décision est prise, ils te paieront ton billet d'avion, « aller simple » depuis Marseille ou Paris… Tu as droit à trois bagages de vingt-trois kilos chacun, plus un bagage à main et débrouille-toi ! J'ai fait Toulouse-Marseille en train avec mes quatre valises ! C'était une tannée ! Ensuite, l'avion. J'étais seule. J'étais paumée. Je me disais que j'avais fait une connerie. J'ai pleuré toute la durée du vol. J'arrive. À l'aéroport, un vieux Russe attendait les olim avec une pancarte bricolée sur laquelle était écrit « Bienvenue » dans toutes les langues. Il t'amène à l'étage. Il y a plein de bureaux. Tu attends ton tour. On te prend en photo, on te donne une enveloppe avec des espèces. Cinq cents shekels[1]. On t'explique tout, et tu ne comprends rien, sur les mutuelles de santé, et tu dois même choisir laquelle tu veux ! Alors, tu en prends une au hasard ! Après, tu vas voir un mec qui te donne ta carte d'identité et, très solennellement, te dit en hébreu puis en français : « Bienvenue à la maison ! »

Un temps. Klaxons nerveux suivis de bordées d'injures dans la langue des prophètes revisitée par la gracieuse Laurie. Puis retour à l'histoire d'une arrivée en Israël :

– C'est un moment très fort, très émouvant : tu prends l'avion. Tu arrives. Et tu es israélienne. C'est une nouvelle vie. On te donne un ticket pour un taxi. Le lendemain, tu dois ouvrir – c'est obligatoire – un compte en banque et on te donne un coupon pour aller à l'oulpan de ton choix. Tu y apprends l'hébreu de huit heures à treize heures, cinq jours par semaine ! Dans ma classe, il y avait des Uruguayens, des Français, des Russes, des Coréens, et même, je te jure, une Chinoise qui se convertissait au judaïsme ! Tous les

---

1. L'équivalent de cent dix-sept euros, à l'heure où j'écris ces lignes, tout en affirmant décliner toute responsabilité sur l'évolution des cours de change.

mois, durant six mois, on te donne de l'argent, cinq cents ou six cents euros... Après, tu es lâchée dans la jungle israélienne et tu te démerdes. Il y a les débrouillards – comme moi –, qui réussissent à s'en sortir, qui cherchent du travail – comme moi –, et il y a ceux qui ne veulent pas s'intégrer et qui, d'ailleurs, finiront par repartir un jour ou l'autre. On parle de 30 % de retours... À vérifier mais c'est invérifiable ! Moi, j'ai réussi mon alya parce que je l'avais bien préparée, grâce à mes nombreux voyages du temps où j'étais étudiante. Je savais à quoi m'attendre ! Et puis il y avait Iphtar, mon amoureux ! D'ailleurs, je vais me marier !

– Mabrouk ! Bravo ! Et côté travail ?

– C'est compliqué. Là, je travaille pour toi, mais c'est dur, ici. On te pousse à faire ton alya, mais il n'y a pas de boulot ! On a un très gros problème. Tu peux toujours trouver un truc à quatre euros de l'heure, mais tu ne vis pas, tu survis. Il y a beaucoup, beaucoup de pauvres ! Entre 22 % et 25 % des Israéliens ! Et les enfants, je te dis pas, presque un enfant sur trois vit en dessous du seuil de pauvreté ! Chiffre officiel de l'Unicef ! On est classés trente-septième sur quarante et un pays de l'OCDE et de l'Union européenne ! Une cata ! La pauvreté des enfants est la pire parmi les pays développés !! Tu le crois, ça ?... Inégalités pour l'éducation et pour la santé... Terrible. Et ce gouvernement ne fait rien. Sauf fermer les services d'aide sociale et privatiser tout ce qui bouge. C'est dingue ! Bien sûr, on est dans un pays entouré d'ennemis. Bien sûr, il faut investir dans la défense ! Mais la politique de la peur ne suffit pas et ne marche plus. On va imploser. Le gouvernement de Bibi, c'est du n'importe quoi ! Allez avance !

– Qui, « Bibi » ?

– Très drôle ! Lui aussi, d'ailleurs ! Mais là, je te parle du mec devant, dans sa voiture de frimeur ! Il fait du surplace ! Remarque, c'est comme Bibi, il nous mène au désastre ! Les gens de gauche se tirent d'ici. Surtout ceux qui habitent Jérusalem, avec tous ces religieux ! Il y a plein de jeunes qui foutent le camp à Berlin ! Et les olim hadashim[1] de France ne comprennent pas que la droite est vraiment dangereuse ! Ils ne connaissent rien au pays, à la politique, ils ne connaissent que Bibi. Ils se pensent sionistes. Ils confondent tout. Ça nous mène droit dans le mur !

Elle prend alors le ton du constat calme mais lucide :

– C'est un très mauvais gouvernement.

– Dis donc. Quelle arrivée !

– C'est la vie. Voilà ton hôtel. Tu veux dîner ?

– Non, merci. Je suis un peu… barbouillé.

– C'est à cause de ma conduite ?

– Non, non, bien sûr…, répond le faux derche qui sommeille, assez peu, en moi…

– Pour demain, je t'ai préparé un programme d'enfer.

– Chouette.

– Et on le fera à pied. T'es soulagé ?

1. Nouveaux émigrants. (Olé hadash, au singulier.)

– Un peu.
Bisous. Welcome. Bienvenue en Israël.

Arrivé à l'hôtel, je retrouve dans mon cartable la copie d'une liste adressée, sous forme de « lettre ouverte », à Bibi Netanyahou, Premier ministre d'Israël, rédigée par l'Union pour le sauvetage des juifs de France (?). Je vous en livre un extrait :

> « Nos frères juifs vivant actuellement en France se trouvent dans une situation périlleuse. L'assimilation, par ses effets dévastateurs, décime littéralement la population juive de ce pays depuis plusieurs décennies. À ce malheur, vient se rajouter le fléau antisémite qui resurgit, et qui oppresse nos frères moralement et physiquement. [...] C'est à nous, les habitants de Sion, de leur tendre la main, et de les sortir de la prison dans laquelle ils croupissent depuis déjà trop longtemps et d'où ils ne pourront sortir seuls. [...][Les juifs de France], du fait des mariages mixtes (60 à 80 % selon les régions), sont les victimes d'unc Shoah silencieuse qui sévit et s'aggrave de jour en jour [...]. Monsieur Netanyahou, sauvez les juifs de France, ne laissez pas les juifs de France aller à leur perte ! [...] Ramenez les juifs de France de l'exil... ! »

Et c'est signé Yossef Ben Shoushan, président de « Oz lé-Israël ».

Épuisé, moi qui suis marié à une « goya », une non-juive, responsable donc, et sans le savoir, d'une « Shoah silencieuse », je préfère céder au décalage horaire et tenter de dormir du sommeil de l'injuste.

Le lendemain, et les deux jours qui vont suivre, seront, en effet, comme Laurie l'a promis, d'« enfer ». Je rencontrerai au pas de charge des femmes, des hommes, des jeunes, des vieux, de droite, de gauche, du centre ou d'ailleurs, mais tous d'origine française et ayant fait, évidemment, leur alya. Je les reverrai bientôt.

Rassuré, satisfait, je rentrerai à Paris pour achever – c'est le mot – un film en cours de tournage. À vite, en Israël ! Promis ? Promis ! Bisous. Décollage.

Un « Waze pas naze »

Quelques semaines parisiennes plus tard, je (re)prends donc un taxi pour Roissy. Direction Israël. Le GPS du chauffeur, d'origine sénégalaise, ne marche pas. Et il ne voit pas du tout où j'espère pouvoir me rendre promptement. Roissy, ça va à peu près, mais là où habite un copain auquel j'ai promis de passer prendre un colis pour sa famille en Israël, non ! Impossible : une rue comme disparue, une rue fantôme, une rue qui semble n'avoir jamais existé. L'homme égaré s'énerve et tapote désespérément son GPS agonisant.

– Mon truc, il va pas, là ! Il est gâté !

– Je lui propose alors mon « truc » à moi : un système nommé « Waze ».

– Waze, ça s'appelle. Essayez avec ça…

Moment de gloire. La rue est immédiatement repérée.

– C'est génial ! C'est magnifique ! Je vais m'en installer un... Waze ? Ou Vaze ? Le mien, lui, en tout cas, il est naze !

– Ah, ah, ah... Waze !!! Je crois que c'est fabriqué par des Israéliens !

– Des juifs ?

– Oui, enfin, des Israéliens.

– C'est la même chose. Y sont très forts, ceux-là, très, très, intelligents et très, très, riches. Ils sont les patrons partout dans le monde !

Je lui rétorque prudemment :

– Pas tous « riches ». Pas tous « patrons », quand même pas.

– Ici, en France, si ! Y a pas de juifs pauvres ! Ça existe pas ! Moi, je vais vous dire, monsieur, je les aime pas, les juifs, honnêtement, je les aime pas.

Un silence, dû, pour moi, à un mélange de profond accablement et de récurrente lâcheté.

– Voilà, je suis arrivé. Merci. À propos : je suis juif.

On se quitte. Le juif Moati n'est pas rancunier. « Riche », certes, « patron », ça m'est arrivé, mais pas rancunier. J'oublie, dans ma hâte, ma casquette dans la voiture et ma valise dans le coffre. Ça fait beaucoup. Mon camarade chauffeur est encore là, Dieu merci. Il me tend mon précieux couvre-chef et ma grosse valise.

– C'est pas de la camelote, votre chapeau... Et votre valise, c'est pas du carton...

– Eh non !

– Vous êtes un juif ? Ça alors... Vous êtes le premier que je rencontre ! Mais vous n'êtes pas comme les autres : vous m'avez prêté votre Vaze...

– Waze !

– Ouais... Et vous m'avez laissé un bon petit pourboire. Un grand, même. S'ils étaient tous comme vous, les juifs, ça irait !

– Bon, faut que j'y aille ! Salut !

– Salut !

Un peu plus, et je rendais le natif de Dakar philosémite, ou presque[1].

Dans l'avion, je suis assis, cette fois-ci, à côté d'un pharmacien de Sarcelles, coutumier de l'aller-retour quasi permanent entre Israël et la France qu'il n'arrive pas à quitter vraiment en raison de ces « foutues non-équivalences de diplômes ». Pour le faire rire, je lui raconte mon histoire naze de Waze. Il rit, mais pas beaucoup. Et me dit :

– C'est pas drôle.

– Oh, quand même...

– Non. Y a pas que les Arabes, vous voyez, qui ne peuvent pas nous saquer ! La preuve, c'est qu'il y a aussi les Noirs africains ! Pour eux, on est des sorciers,

---

1. À propos de cette petite histoire, je tiens à dire que je ne suis pas sponsorisé par Waze. Ce que je pourrais, bien évidemment, regretter, si j'étais maladivement cupide.

on est riches, on a plein de pouvoirs ! Y'en a beaucoup qui viennent dans ma pharmacie ! Je les connais. Je sais ce qu'ils pensent.

– Allons ! C'est pas parce que j'ai rencontré *un* chauffeur de taxi africain qui n'avait pas l'air d'adorer les juifs qu'ils sont tous comme ça ! En fait, je me suis marré !...

– Attachez votre ceinture, on va décoller. Et parlons d'autre chose, tiens des jeunes Arabes !

– Aïe !

– Ils ne connaissent rien. Ils nous détestent, c'est tout. Ils ne savent pas de quoi ils parlent. Ils ont une méconnaissance historique totale...

– Sur quoi ?

– Sur Israël, bien sûr ! Prenons l'histoire des « Territoires », tenez ! Où a-t-on vu, dans le monde, un pays qui gagne des guerres sans avoir le droit d'annexer les territoires conquis ? Où ? Donc, dans ce cas, la France devrait rendre Nice, Menton, le Pays basque, etc. ! On marche sur la tête ! Et on parle des « pauvres » Palestiniens. C'est dingue ! C'est les Arabes d'Israël qui ont le plus de droits de tous les pays où il y a des Arabes ! De l'argent et des avantages sociaux de folie ! Tu parles de « pauvres » Palestiniens !

– Vous avez fait votre alya ?

– Je suis en train... J'ai un appartement à Tel-Aviv et j'y vais hors saison. L'été, je le loue. C'est un placement. Et ça me permet de l'entretenir. Je le loue essentiellement à des Russes. Ils viennent, eux, beaucoup pour la chirurgie esthétique. On est les champions du truc !

– Ah bon ?

– Oui, pas seulement pour les GPS ! Pour tout ! Allez, on décolle !

« Ce fut une renaissance »

Tel-Aviv. Laurie, comme convenu, est venue me chercher. Toujours aussi charmante, ma jeune assistante. Son mariage se prépare : elle s'est même fiancée, me raconte-t-elle, dégainant imprudemment une superbe photo à l'appui tout en conduisant. La cérémonie a eu lieu pendant un court aller-retour dans sa ville natale, Toulouse. Cette ville qu'elle avait quittée, on s'en souvient, à la suite du massacre de l'école juive, abasourdie par la violence du meurtrier et l'absence, selon elle, de compassion ou de mobilisation populaire.

Nous avons rendez-vous avec Shirel, chanteuse, vedette de l'adaptation de « The Voice » en Israël, et fort connue en France pour son rôle-vedette dans

Notre-Dame de Paris. Shirel, fille de Jeane Manson et du producteur de cinéma André Djaoui.

Laurie, Shirel, je suis entouré, au soir de mon arrivée, de deux fort jolies femmes, ce qui n'est pas pour me déplaire. J'écoute Shirel. Elle ne chante pas. En revanche, sa voix vibre et son cœur bat. Fort.

– J'ai fait mon alya en 1996. J'avais dix-huit ans. J'ai appris l'hébreu dans un oulpan de Jérusalem, puis je me suis convertie...

– Convertie ?

– Oui, ma mère, Jeane, n'est pas juive. Cela m'a pris un an. Un an d'études avec des rabbins très spécialisés. Ensuite, je suis retournée à Paris. Là, j'ai passé une audition et j'ai été prise pour *Notre-Dame*. J'ai dû rester deux ans en France. J'étais déchirée entre la passion d'un métier que je découvrais, le succès du spectacle, et mon amour pour Israël. Cet amour-là a été le plus fort : je suis revenue. Et je n'ai plus bougé.

– « Shirel », ce nom, il veut dire quelque chose en hébreu ?

– Shirel veut dire « chant vers Dieu ».

– Rien que ça !

– Eh oui. Avant, je m'appelais Jennifer. Bien sûr, c'est moi qui ai choisi Shirel. C'est mon cheminement personnel. Mes grands-parents sont venus vivre en Israël, puis mon père, ma tante, et les enfants et les petits-enfants. Tout le monde est là. Même ma mère qui, je le rappelle, n'est pas juive, fait de très fréquents allers-retours et souhaite, aussi, venir s'installer ici.

Un temps. Un sourire. Une émotion.

– On dit, dans la prière, « l'Éternel est un », et moi, dans ce pays, je me sens « un ». Dès que je quitte Israël, j'ai l'impression de trimballer un sac à dos plein de pierres ! Je suis née dans un corps qui n'était pas juif, mais avec une âme juive. Je me suis unifiée. Ma conversion m'a purifiée. C'est un miracle. Vous savez, Serge, il y a plusieurs types d'alya…

– Oui ?…

– Il y a l'alya de cœur, l'alya de la peur, et l'alya « parce qu'on est obligé de la faire ». On va en venir, pour tous les juifs, à l'alya « obligatoire ». Moi, je ne veux pas faire grandir mes enfants en France. Ça va dégénérer. À cause du terrorisme mondial ! Je pense que, dans quelques années, à Paris, on ira visiter la rue des Rosiers, transformée en musée-souvenir du judaïsme français. On y évoquera la mémoire d'une vie qui fut juive au cœur de Paris. Serge, on est dans les temps messianiques, ceux du retour de l'exil, de la fin de la dispersion. Sur la tombe de mon grand-père, ici, pas loin, il y a écrit « Israël t'a appelé ». C'est vrai. Il a entendu cet appel. Moi aussi. Ce fut une renaissance. Tu comprends ?

– Tu… Vous, tu… es toujours aussi sioniste qu'au début ?

– Plus encore. Et, pourtant, être sioniste, ici, c'est presque « has been ». Les Israéliens jeunes, de gauche et du milieu artistique, trouvent ça ringard, et me disent : « Pourquoi tu as quitté Paris, c'est si beau, tu es folle ! » Je passe pour une cinglée ou une grande naïve. En ce qui concerne l'amour d'Israël, les gens d'ici sont ironiques et cyniques. Pour eux, Israël est un pays où il est très difficile de vivre, tout petit et plein de stress. « High voltage » permanent !

– Tu vois des Français, à Jérusalem ?

– Non... Pas beaucoup. Ils ont souvent une très mauvaise réputation d'affairistes et de brigands, de voleurs et de bandits, partis de France pour se réfugier en Israël d'où ils ne peuvent être extradés, comme tu sais ! Les Israéliens, qui sont pourtant les gens les plus culottés de la terre, disent que les Français sont encore pires qu'eux, se croient tout permis, et s'imaginent en pays conquis ! Les Israéliens, qui ne sont pas connus pour leur politesse, ont trouvé leurs maîtres : les juifs séfarades venus de France ! Maîtres aussi en bling-bling ! Incroyable !

– Tu n'as jamais regretté d'être venue ?

– Jamais. Jamais. En France, j'ai même été insultée.

– Un exemple ?

– En 2004, j'ai chanté à Macon pour Bernadette Chirac et ses fameuses « pièces jaunes ». Une bande d'Arabes, dans la salle, a hurlé ! Ils ont sorti des croix gammées, les ont brandies, et ont scandé : « Mort aux juifs ! Mort aux juifs ! » Pour eux, je suis une ennemie. Une juive. Une Israélienne. Depuis, en France, j'ai toujours un garde du corps. Je suis devenue une sorte de porte-parole d'Israël ! Mais je vais te dire, si je devais choisir entre chanter et défendre mon pays, je choisirais de défendre mon pays. Partout. Et tout le temps. Sans hésiter. Ma mère...

– Jeane Manson...

– Oui, elle aussi, a subi des attaques antisémites. Elle en a assez. Pendant ce temps, Dieudonné, lui, il parade ! Alors qu'il devrait être en prison. Ou du moins demander pardon ! Ici, il ne peut rien m'arriver. Je suis à la maison. En paix. En grande paix. Vous avez dîné ? Allez, restez dîner !

Comment résister ? Je ne sais pas faire. Je n'essaie même pas. Cette jeune femme mystique et talentueuse m'intrigue.

« Les juifs *doivent* être ici »

Le lendemain matin, après avoir passé une partie de la nuit à regarder la télévision israélienne, peuplée d'images d'agressions au couteau, je m'éveille en compagnie d'un franc soleil. Grâce à un hasard nommé Laurie, je retrouve Nicolas, entraperçu lors de mon premier voyage. C'est un ami à elle. Il a moins de trente ans et il est, par ailleurs, conseiller au ministère israélien de l'Intégration. Au cœur, donc, de l'alya des Français.

– Salut !

– Salut.

– Je peux t'enregistrer, Nicolas ?

– OK. Tout d'abord, je te rappelle que mon nom de famille, c'est Gewelbe ! Comme je suis sûr que tu n'arriveras pas à deviner d'où vient ce patronyme, je te précise que je ne suis ni vraiment ashkénaze, ni vraiment séfarade, ni même vraiment juif.

– Ça se corse.

– Non. Ça se Sicile. (Rires.) Ma mère est, en effet, sicilienne. Mariée à un juif, certes, mais catholique et sicilienne.

– Elle s'est convertie ?

– Non. Ma sœur et moi, oui, on s'est convertis. Et le plus drôle, c'est que c'est notre mère qui nous a poussés vers le judaïsme, jusqu'à fréquenter les classes de Talmud Torah, et rejoindre les Éclaireurs israélites de France…

– Qu'est-ce qui lui a pris ? Une crise de mysticisme philosémite ?

– Peut-être… Elle voulait, surtout, que l'on se reconnaisse dans notre père, juif, lui, un yekké ! Un vrai yekké ! Tu sais ce que c'est qu'un yekké ?

– Non, j'avoue !

– Un yekké, c'est un juif allemand. Mais un vrai. Les yekkés, ils étaient pas riches, mais un peu snobs. Ils avaient une seule chemise, mais ils la repassaient tous les jours. À la maison, on ne voyait même pas les murs tant il y avait de bouquins. Mon père, il savait tout sur le judaïsme mais ne pratiquait pas ! On allait à la synagogue, mais juste pour les grandes occasions, du genre Kippour. Et c'était maman qui nous y accompagnait, ma petite sœur et moi. Mon père, pendant ce temps, il se faisait des *spaghetti alla carbonara* et il nous disait : « Allez, bonne journée, les couillons, moi je vais me régaler ! » À part ça, il était avocat et ma mère prof en fac. On habitait Le Vésinet.

– Toujours ?

– Maintenant ils vivent en Israël ! Moi, en 2005, bac L en poche, j'ai voulu venir ici. J'avais dix-huit ans et mes parents se sont dit : « C'est une passade de jeunesse ! » Peut-être, mais c'est une passade qui a duré ! Qu'est-ce que j'aurais fait en France ? J'aurais été avocat ? Comme papa ? Non, j'avais Israël dans le cœur. La faute à ma mère, la « pas juive ». Je t'ai déjà dit qu'elle m'avait mis aux Éclaireurs israélites quand j'avais à peine dix ans, eh bien ça marque, les mouvements de jeunesse juifs ! C'est là que j'ai appris ce que c'était…

– Quoi ?

– D'être juif, pardi ! À la maison, on nous enseignait le respect de toutes les cultures. On voulait nous apprendre à connaître toutes les religions. Mais les Éclaireurs, eux, nous ont parlé d'Israël ! Ça m'a passionné. Et mon père, qui était un bon copain de DSK, Jospin et compagnie, adorait les discussions politiques. Alors, ça a fusé à la maison ! À l'époque, en 2005, quand je suis arrivé ici, j'étais très à gauche. Mais je suis passé à droite.

– Ah ? Pourquoi ?

– Je vais te le dire ! Quand j'ai vu tous ces mecs de gauche pérorer sur la condition ouvrière en sirotant des grands crus classés, j'en ai eu ras le bol ! Les mecs de gauche que j'ai rencontrés sont d'un grand cynisme !

– Tu ne crois pas que t'exagères ?

– Qui c'est qui est interviewé ?

– Toi !

– Alors, je dis ce que je pense. Oui, à Paris, je suis entré au Betar[1], oui, j'ai milité avec des extrémistes sionistes, oui, j'ai couvert leurs actions, celles de la LDJ (Ligue de défense juive), ou du Service de protection de la communauté ! J'ai rencontré des gamins qui venaient, furieux, des plus grosses communautés juives : Sarcelles, Créteil. Des mecs chez qui la violence est un truc banal, normalisé. Ils foutaient la merde contre Dieudonné ou Alain Soral ! Ou se cognaient avec les gauchos ! En plus, ils adoraient ça !

– Y en a qui disent qu'ils sont quasiment… presque… fascistes ! Juifs, OK, mais adorateurs de la castagne, comme, dans le temps, les mecs du GUD[2], ce mouvement facho qui a alimenté en gros costauds bien des bagarreurs le FN…

– « Fascistes », nous ? Conneries ! On était juste l'émanation de la communauté juive de France qui virait à droite. Et voulait se défendre. Quand je suis venu ici, je me suis calmé.

Laurie ricane en sourdine.

– Je fais de la politique active et responsable. Point barre. À droite, bien sûr. D'autres questions ?

– Non, ça va ! C'est incroyable, Israël… Tu vois même des fils de socialos français se transformer en

---

1. Mouvement de jeunesse juif nationaliste fondé en 1923 à Riga, en Lettonie, par Vladimir Zeev Jabotinsky.

2. Groupe Union Défense. Organisation étudiante française d'extrême droite connue pour ses actions violentes.

Israéliens de droite grâce à leur maman sicilienne et catholique. Quelle histoire !

– Oui, une sacrée histoire. Et ça continuera ! Le judaïsme, c'est une identité nationale doublée d'une religion. Ici, on devient vite religieux. Et de droite. Parce que, dès qu'on arrive en Israël, la réalité est de droite ! La gauche est morte. Et en France, ça va ?

– Ça va...

Non, ça ne « va » pas. Où en est la gauche en Israël et pourquoi ? Je rencontre dans la rue, par le plus heureux des hasards, mon très cher ami Daniel Shek, ancien ambassadeur d'Israël en France que j'ai déjà évoqué. Je lui parle de la phrase que je viens d'entendre : « La réalité est de droite en Israël. » Dany s'énerve mais à sa façon : très calme. Pour lui, il n'y a vraiment pas de réalité de « gauche » ou de « droite ». Juste des hommes de droite ou de gauche, cette gauche à laquelle il appartient d'ailleurs ! Les arguments précités par Nicolas, pour lui, se renversent :

– Oui, nous sommes entourés de voisins hostiles, oui, nous sommes menacés, mais non, ce n'est pas une fatalité ! Il y a forcément une solution de paix à ce conflit qui, lui, est réel... Notre incapacité à résoudre cette guerre permanente bloque tout et menace profondément l'avenir d'Israël.

– Bon, ben, salut, Dany.

– Salut, Serge.

– On dîne ensemble ce soir ?...

– OK !!! Avec plaisir !

*
* *

Benjamin Lachkar a écrit un livre précis et détaillé : *Pourquoi les juifs quittent la France*[1] ?. Je rencontre ce « Likoud[2] à fond », comme me l'a présenté Laurie, dans le « triangle d'or » entre Dizengoff et Ben Yehuda, pas trop loin de Sheinkin, la rue branchée de chez branchée, axe stratégique de toutes les balades, bars « gauchistes » et boutiques « vintage », où déambulent acteurs et musiciens en goguette. Tout le monde, par ici, a furieusement le « type Sheinkin », et baguenaude, s'imaginant être entre Soho et Greenwich Village. L'action se passe juste en face du shouk HaCarmel qui nous rappelle, fort opportunément, que l'on est, *aussi*, en Orient.

Benjamin (qui n'a pas, lui, le « type Sheinkin ») :

– La France est une terre d'exil. On rentre à la maison. Je suis rentré chez moi. Je fais partie du judaïsme depuis trois mille cinq cents ans.

– Rien que ça ? Tu es né où ?

– En France, bien sûr. Un pays magnifique dont j'aime la culture et où je n'ai jamais connu l'antisémitisme. Mon alya, en 1996, était tranquille. Je n'étais pas seul. Avec moi, comme moi, il y avait beaucoup de jeunes issus de mouvements de jeunes, d'écoles juives.

1. Paris, Valensin, 2015.
2. Le Likoud : parti de droite nationaliste. Celui de Begin, Sharon et, bien sûr, Bibi Netanyahou.

À l'époque, le clivage gauche/droite se réduisait aux histoires de territoires et de rapports avec les Palestiniens. La paix ou pas ? La révolte sociale en Israël, celle de 2011, a remis les questions économiques au premier plan et, à droite, avec Bibi, il y a eu la renaissance d'une droite libérale. On se concentre sur les problèmes internes. Il ne faut pas oublier qu'en Israël coexistent, tant bien que mal, un côté *ultra-high-tech* et un autre très *soviétisé* avec des « restes » du vieux socialisme des origines. Et les restes, on les connaît : absence de concurrence dans certains secteurs ultra-protégés, barrières partout à l'importation, survivance du lobby agricole sioniste, bureaucratie envahissante qui nous fait perdre un temps fou ! Kafka aurait pu être israélien ! Ici, tout est judiciarisé, légalisé.

– Où tu en es, politiquement ? À droite, bien sûr, mais précise, s'il te plaît !

– Je dirige tout le côté francophone du Likoud. Mon but est de faire entrer tous les « olim hadashim »[1] au parti.

Lauric intervient :

– Et moi de les faire entrer au Parti travailliste ! Quand tu dis qu'il n'y a pas de concurrence en Israël, c'est faux !

Rires. Et Benjamin continue :

– Il y a dans ce pays cent trente mille Éthiopiens. Il y a entre cent cinquante mille et deux cent mille Français… Eh bien, les Éthiopiens qui ne vont pas

1. « Olim hadashim » : les nouveaux émigrants.

« bien » socialement, ont un poids politique plus important que les Français !

Laurie confirme :

– C'est vrai !

– Des Français, on dit qu'ils sont juste des gens avec de l'argent, qui font monter les prix, et ne comprennent rien à la politique israélienne bien que, naturellement, de droite !

Laurie intervient encore :

– Hélas !

– Le judaïsme français a des choses à nous dire ! On voudrait, au moins, quelques milliers de Français au Likoud, avec Bibi qu'ils aiment et qui n'est pas seulement le Premier ministre d'Israël, mais celui des juifs de par le monde ! Il faut qu'ici, ils votent, s'engagent ! Si on fait son alya, c'est tout de même que l'on est un nationaliste juif, non ?

– Forcément de droite c'est ça ? Bon... Tu aimes Tel-Aviv ?

– Honnêtement, je préfère Jérusalem. Tel-Aviv est une ville de trentenaires ashkénazes, célibataires et laïcs, uniquement intéressés par le sexe et l'argent ! C'est une ville entourée de facs, qui sont autant de fiefs de l'extrême gauche. Ailleurs dans le monde, c'est le post-modernisme, ici, c'est le post-sionisme qui est à la mode ! Quand je dis que je préfère Jérusalem, c'est qu'avec le nouveau maire de la ville, Nir Barkat...

– Membre du Likoud, bien sûr... ?

– Bien sûr ! Il a été élu à la tête d'une coalition de droite et du centre, puis est revenu au Likoud après sa victoire. Cet ancien homme d'affaires qui avait vraiment réussi dans son business, a transformé la ville et l'a diversifié ! Il l'a rendue beaucoup plus sûre ! Grâce à lui, tous les citoyens – et ils sont nombreux – qui ont des permis de port d'armes peuvent sortir « équipés » dans les rues. C'est un mec énergique. Il a dit que l'État était trop clément avec les Palestiniens. Trop ! On l'appelle le « maire shérif ». Moi, je l'aime beaucoup. Évidemment, en ville, il y a des tensions entre les orthodoxes et les Arabes, surtout en ce moment, mais il y a une belle énergie et je pense que ça va se calmer ! Mais, soyons franc, toute personne qui s'amuse à prédire l'avenir ici est fou.

– Ou prophète ? Y en a eu des paquets par ici.

– Un point : la plupart des terroristes, chez nous, sont israéliens ! C'est le résultat de l'incitation à la haine de l'Autorité palestinienne, du monde islamiste, du Hamas, et de vingt-deux années d'éducation antijuive dans les écoles ! On est en guerre avec une autre culture. Tout problème, contrairement à ce que pense l'Occident, ne trouve pas forcément de solution ! Ça peut durer des générations, des siècles. Pour l'instant, il n'y a pas de solution !

Laurie intervient à nouveau :

– Et, d'un certain côté, ça arrange la droite et l'extrême droite israéliennes. Ils peuvent continuer à mener leur grande politique ultra-libérale et à faire leurs petites affaires. Sans s'embêter avec toutes ces « histoires de paix » comme avant !

– Allons ! Israël a un vrai bel avenir. C'est un État riche, prospère, moderne ! Avec une belle croissance, en plus ! Qui dit mieux ?

– Moi, monsieur ! Un Israélien adulte sur cinq vit en dessous du seuil de pauvreté. Et un enfant sur trois. La faute au budget de la défense et à tout le fric qu'on y met !

– Oui, tu as raison, on ne devrait pas s'armer contre les roquettes qu'on nous lance à la gueule. Tu as raison ! On ne devrait pas non plus riposter suite aux attentats ! C'est si bon de faire la bise aux terroristes, « Peace and love », tu as raison ! Bon, je dois y aller ! Lis mon livre, Serge. Shalom, les haverim[1], dit-il, en se moquant franchement de nous !

La gauche en Israël, pour l'actuelle majorité de droite, paraît naïve et ringarde, déconnectée de la réalité, utopiste et dangereuse. Voilà, tout est dit. De là à ajouter que cette gauche trahit le pays, il n'y a qu'un pas que certains ultras – parfois au pouvoir – franchissent allègrement.

Décidément, je voyage beaucoup, en cette journée, du côté de l'alya de droite et francophone. Pas ma faute si les juifs ex-Français, en Israël, sont volontiers de droite ! Troisième station : Olivier Rafowicz.

1. « Haver », au singulier : camarade.

Comme beaucoup de journalistes et de téléspectateurs, bien sûr, je me souviens de lui ! D'abord de son prénom tout à fait français, Olivier, au milieu d'une multitude d'Avi, Moshé, Gaï, Carmi, et autres Dan, Dany, David ou Schlomo. Non, lui, c'était, et c'est toujours, Olivier : un colonel trois étoiles (« full colonel », comme on dit) de l'armée d'Israël dont il fut longtemps le porte-parole très populaire auprès de l'immense troupe de ceux qui, comme moi, plus que moi, couvraient guerres et intifadas, attentats et ripostes, bref, partout où il exerçait ses talents de communicant en chef, du côté de la Judée-Samarie ou du Liban. Je le retrouve dans un « spot » de Tel-Aviv, cette ville, décrite par le grand Etgar Keret, comme le lieu de « la rencontre entre une synagogue et un bar à sushis ». À propos de bar à sushis, nous y sommes. Cela se passe un peu plus loin sur Rothschild, là où j'avais filmé la « révolte des tentes » à l'été méditerranéen de toutes les colères en 2011. Olivier me raconte un peu sa vie :

Olivier : Je suis né et j'ai grandi à Sainte-Geneviève-des-Bois…

Moi : Rien de plus français !

Olivier : Surtout que je ne fréquentais ni synagogue ni classe de Talmud Torah… Rien. Mais…

Moi : Mais ?

Olivier : Mais j'étais très juif. Pas besoin de Dieu ni de temple pour ça… Et je le suis devenu de plus en plus suite à mon premier séjour en Israël, après le bac. Mon père était une victime de la rafle du Vél d'Hiv. Toute sa famille a disparu à Auschwitz. Sauf lui qui en est revenu par miracle. Il était le compagnon de captivité d'Henri Krasucki, communiste, bien sûr, et futur patron de la CGT. Israël pour moi, à dix-huit ans, fut une révélation, un choc. De retour en France, j'ai passé un an à la fac d'Assas, puis j'ai préparé mon alya. Pour de bon. Et je suis parti. Sciences Po à Jérusalem. Et l'armée. (Un temps. Il me regarde, et tente de se souvenir :) On s'est rencontrés, je crois, en Judée-Samarie, non ?

Moi : Je ne sais plus. C'était, je pense, au début des années 1990…

Olivier : C'est ça ! Au moment de la première intifada. Terrible. Des morts, beaucoup de morts. Après, j'ai fait quelques années dans le renseignement…

Moi : … dont tu ne me parleras pas…

Olivier : Non. Je vois que monsieur connaît la règle ! Puis j'ai été muté au Liban où j'ai échappé à la mort d'une manière invraisemblable. On était dans quatre voitures banalisées et, au dernier moment, je ne sais plus pourquoi, j'ai changé de voiture. Tous mes camarades sont morts. Je suis ensuite devenu porte-parole de Tsahal[1] pour la presse internationale… Mais oui, c'est là qu'on s'est rencontrés !!! Ça y est !

Moi (pas contrariant) : OK.

Olivier : Mais tu n'es pas venu pour que je te raconte ma vie ?

Moi : Ma question est : pourquoi l'alya ?

Olivier : Tu enregistres ?

---

1. « Tsahal » : Force de défense d'Israël.

Moi : Oui, depuis le début...

Olivier : Les juifs *doivent* être ici. C'est vital pour eux et pour Israël. Et ceux qui ne comprennent pas ça mettent leur propre vie en danger et, accessoirement, celle d'Israël. Notre peuple a souffert des milliers de fois. On a été massacrés, brûlés, déplacés, chassés. On est tous des rescapés. Et on a été des exilés durant vingt siècles. Le résultat de cet exil est celui-ci : malgré le fait que nous ayons, de toutes nos forces, voulu être acceptés, nous nous sommes fait chasser encore et tuer de nouveau, sans parler des conversions forcées et brutales jusqu'à ce summum de la haine que fut la Shoah. Celle-ci n'est pas née de rien, elle n'est pas, non plus, déconnectée de notre longue histoire faite de malheurs. Parallèlement à nos tragédies, des juifs avaient senti depuis longtemps qu'il fallait d'urgence trouver une solution. Et ce fut la création du sionisme politique ! Mais l'État juif, celui rêvé par Theodor Herzl, est, hélas, arrivé bien trop tard, après la disparition de six millions des nôtres ! Maintenant, Israël existe et c'est le seul avenir des juifs ! Ceux qui se lamentent depuis des années en France n'ont qu'à venir ! Et vite. Je pense qu'une partie de la diaspora européenne, enfin ce qu'il en restera, devra totalement s'intégrer, s'assimiler et oublier d'être juive, une autre partie se sauvera et tentera de s'intégrer ailleurs – Australie ? Canada ? –, mais elle se prendra un grand coup dans la gueule et finira, comme tous les juifs, ici !

Moi : Eh ben... Quel pessimisme !

Olivier : Non. Quelle lucidité, plutôt ! On ne peut pas échapper à son destin et le destin, c'est l'appartenance. Tu comprends, les gens qui « vibrent pour Israël » et ne viennent pas, moi, ça me dérange ! Pour ne pas employer un autre mot !

Moi : Je précise ma question : pourquoi, selon toi, une telle alya massive d'origine française ?

Olivier : Tu as peut-être entendu parler du terrorisme islamiste ?

Moi : Un peu. Ça me dit quelque chose... Tu me prends pour un extraterrestre ou quoi ?

Olivier : Sérieusement, il y a antinomie, incompatibilité, entre la République qui se veut laïque et l'islam.

Moi : Tu parles comme Zemmour !

Olivier : Oui, mais moi, je suis ici ! L'antisémitisme change de couleur mais il a toujours existé en France. Regarde le régime de Vichy : il n'y avait pas encore d'Arabes, ce sont des Français – pas des Arabes, donc ! – qui ont déporté soixante-dix-neuf mille juifs ! Faut pas accuser les Arabes de tous les maux, non plus ! Avec eux, ici, on a un conflit de terre. La haine antisémite des nazis et des gens de Vichy n'était pas une histoire de terre ! On avait ni pris ni occupé une quelconque terre allemande, tout de même ! Tu me suis ?

Moi : Je crois...

Olivier : Moi, je milite. Beaucoup. À droite, bien sûr. Mais pas du côté de la droite religieuse. Je vais proposer à mon camp une modernisation de l'alya de masse. Je veux faire émerger une nouvelle stratégie d'immigration. Elle sera radicalement différente. Il faut reprendre l'ensemble ! Je m'en occupe aux côtés d'Avigdor Liberman, ancien du Likoud, fondateur d'Israel Beytenou – « Israël, notre maison » –[1] ! Liberman est pragmatique, ultra-sioniste et vraiment capable de mobiliser les gens. C'est avec lui que je vais travailler mon programme pour l'alya. Ça va faire du bruit, je crois. Tu en entendras parler[2] !

Moi : Ta nouvelle stratégie passera par plus d'argent pour l'intégration ? Par des logements moins chers ? Par des oulpanim modernisés et revisités ? Par des critères modifiés concernant la loi du Retour ? Par une vraie équivalence des diplômes ?…

Olivier : Bien sûr. Par tout ça ! Mais pas que ça ! Tu verras ! Je voudrais te dire aussi deux ou trois choses sur les Arabes…

Moi : Je t'écoute.

Olivier : En France, ça va être terrible avec eux ! Il va y avoir des catastrophes et des changements brutaux : rendez-vous aux élections de 2017 ! Terrible !

---

1. Parti classé à l'extrême droite.

2. Depuis cet entretien, Avigdor Liberman a été nommé ministre de la Défense. Ainsi l'étroite coalition gouvernementale au pouvoir, dirigée par Bibi Netanyahou, a-t-elle élargi son assise parlementaire et est passée de 61 à 66 sièges… sur 120 députés. Merci qui ? Pour mémoire, le même Liberman, alors député, avait suggéré d'utiliser « l'arme atomique afin de vaincre le Hamas […] et de bombarder le barrage d'Assouan en Égypte ». En 2015, devenu ministre des Affaires étrangères, l'excellent, et bienveillant Avigdor avait menacé de mort, et pas n'importe laquelle, les citoyens israéliens d'origine arabe : « Ceux qui sont contre nous méritent de se faire décapiter à la hache. » Cela promet. Cela accable.

Et tu te souviendras de notre conversation… Je vais te dire : ici, il faut qu'on se sépare d'eux. Les juifs d'un côté. Les Arabes israéliens plus les Palestiniens, de l'autre. La coexistence n'est pas possible. On ne peut pas laisser vivre les Arabes au cœur du pays d'Israël. C'est pas viable ! Notre problème avec eux est existentiel. On n'est pas « anti-arabes », on est contre des gens qui veulent nous détruire ! Donc, il faut d'urgence se séparer !

Et Olivier dessine, vite fait, sur un coin de nappe en papier, son projet de grand déplacement et remplacement de populations. Il évoque aussi les transferts d'autorité et de souveraineté. Et conclut :

Olivier : Bibi ne prend aucune décision. Il flotte. C'est pour cela qu'il ne sera pas réélu. La gauche est muette. Et bêtement bobo. Y a que Liberman, un homme fort, courageux…

Moi : Qui « en a » ? C'est ça ?

Olivier : Oui. Il « en a » ! Crois-moi !

Moi : Sushis ou sashimis ?

Olivier : Tout. J'ai faim. Il y a aussi d'excellents tempuras et de remarquables teppanyakis. Allons-y.

On mange mais je suis exaspéré. Je déteste manger en étant exaspéré.

Roland le médecin

Jérusalem. Le soir, vers la « sortie », la fin du shabbat... J'ai rendez-vous avec un professeur de médecine qui fut tunisien puis marseillais avant de faire son alya et de devenir citoyen de « la capitale éternelle du peuple juif ». Son nom : Roland Dajoux. Sioniste parmi les sionistes. Religieux parmi les religieux. Grand médecin, beaucoup d'allure.

– Je suis arrivé à Jérusalem en 1988. Il y a vingt-huit ans, déjà. J'ai quitté la Tunisie à onze ans, en décembre 1948. Je débarque alors à Marseille. C'était bien avant que les pieds-noirs n'arrivent d'Algérie... Mon nom, mon vrai nom, était Djaoui. On croyait que, avec ce nom-là, je venais du fin fond de l'Afrique, de Tombouctou ou du Zimbabwe ! J'ai décidé, avant mon service militaire, de le « franciser ». J'ai fait ma carrière médicale, j'étais chirurgien à Marseille. Dans cette ville, je me suis présenté à l'agrégation en sachant pertinemment que je ne serais jamais nommé.

– Pourquoi ?

– Un doyen de la fac avait déclaré : « Tant que je serai vivant, aucun juif ne sera agrégé. »

– Sérieusement ?

– Je n'invente rien ! Tout le monde avait entendu les propos du doyen et connaissait ses opinions farouchement antisémites.

– Et Israël ? Pourquoi êtes-vous allé vivre en Israël ?

– J'en ai eu assez ! Avec ma femme, on a décidé de faire notre alya. Je ne voulais pas que mes enfants aient une double appartenance. Basta ! La finalité de l'exil, c'est le retour. Et c'est une nécessité : plus de la moitié des juifs du monde sont déjà en Terre sainte.

– C'était dur, votre arrivée en Israël ?

– Très. Il fallait que je repasse tous mes examens alors que cela faisait vingt ans que j'étais chirurgien. J'ai accepté d'être stagiaire ! C'est dire ! Puis j'ai eu une belle carrière. Très belle.

– Et vous vous êtes engagé politiquement ?

– Spirituellement !

– Politiquement, aussi, je crois, non ?

– Si vous voulez. Je suis « sioniste nationaliste ». Voilà. Je crois au retour de la « royauté » dans le pays. Ce que je nomme la « royauté », c'est le contrôle par le peuple juif de son propre pays.

– C'est le cas, non ?

– Non. On ne contrôle actuellement qu'une petite partie de la Terre d'Israël. J'ai réfléchi à tout cela dès les six premiers mois de notre arrivée, et j'ai compris que le problème avec les Arabes était fondamentalement religieux, et non politique ou territorial.

– Allons bon !

– Oui, justement. Ce n'est pas politiquement correct, je sais. Mais, je vous le dis : si l'on fait fi de cette dimension religieuse, on ne peut comprendre l'issue de ce conflit, ni imaginer l'avenir[1]. Il faut savoir que, pour l'islam, le monde est divisé en deux grandes parties : le Dar el Islam, la « maison de l'islam », sous leur domination, bien sûr, et le Dar el Harb, c'est-à-dire la « maison de la guerre ». Et entre ces deux grandes maisons, il y a le Jihad, la guerre qui sera permanente jusqu'à la fin des temps. Pour eux, la paix ne peut advenir que de l'islamisation du monde.

– Carrément ?

– Mais oui. La doctrine de l'islam, c'est au-delà de la conquête du territoire, l'islamisation de la population.

– De gré ou de force ?

– Bien sûr ! Regardez la Tunisie, l'Algérie, le Maroc, trois pays qui sont devenus des territoires arabes alors que leurs populations berbères, juives ou chrétiennes, ne l'étaient absolument pas. L'islam n'est pas venu pour *coexister* mais pour *remplacer*.

– Et Israël, dans tout ça ?

– La Palestine a été occupée par l'islam pendant cinq cents ans et voilà que, tout d'un coup, vint le

1. Voir Roland Dajoux, *Israël, miroir du monde*, Paris, Persée, 2009.

premier scandale : des juifs décident de revenir sur cette terre. Terrible. Deuxième scandale : ces juifs portent des armes. Troisième scandale : ils font des guerres. Quatrième et dernier scandale : ils gagnent ces guerres ! Le monde, avant la conquête arabe, était, selon eux, un monde de confusion et de chaos, plongé dans les ténèbres.

– Et ?

– Vous savez tout de même ce que signifie le mot *islam* ?

– Je crois, oui. Dans le mot « islam », il y a la racine salam, qui veut dire « paix ». Ce salam, si proche du shalom hébreu.

– Mais non, l'islam, littéralement c'est la « soumission ».

– Alors ?

– Alors, j'essaie de vous expliquer depuis une heure que ce conflit est avant tout théologique. Pour les Arabes, il faut régner sur le monde et l'islamiser, donc, le soumettre pour le sauver. À l'heure actuelle, leur immigration massive en Occident n'est pas une immigration de désespoir. Elle est organisée, dirigée, par une organisation, l'OCI[1], qui regroupe cinquante-sept pays musulmans, dont la charte stipule qu'il faut 1) récupérer Jérusalem, 2) favoriser l'émigration dans les pays chrétiens, 3) islamiser les populations conquises.

– Vous me faites penser à ce que disaient les antisémites à propos des juifs et de leurs *Protocoles des*

1. Organisation de la Coopération Islamique.

Sages de Sion, ce « plan secret » de la conquête juive du monde. Un célèbre faux en forme de programme, soi-disant élaboré par un mystérieux conseil de sages juifs afin d'anéantir la chrétienté et de dominer l'univers.

– Je sais ! Écoutez-moi, s'il vous plaît : l'Église a voulu évangéliser les âmes. L'islam veut islamiser le monde. Pour ces derniers, le judaïsme n'existe pas. Il est déchu, puisque les juifs ont quitté leur terre ! Alors nous devons, nous, redevenir hébreux en revenant en « Eretz Israël ». Et là, il y aura une réconciliation possible entre islam et judaïsme…

– Je ne vous suis pas. Pardon, mais je ne comprends rien…

– Parce que vous ne connaissez pas le Coran.

– Je l'admets…

– Il y a plusieurs sourates (ou versets) qui disent : « La Terre d'Israël appartient aux Hébreux. » Eux-mêmes l'affirment. Alors redevenons tous hébreux ! Et il y aura la paix.

– C'est très exactement le contraire de ce qui arrive.

– Apparemment… Juste apparemment. Réoccupons *entièrement* la terre de nos ancêtres, les prophètes des trois religions seront heureux, et la paix viendra. Mais…

– Mais ?

– Mais hélas, l'Occident ne comprend rien ! Il ne supporte pas, en vérité, de nous voir relever la tête ! Ah non, l'Occident ne doit pas, surtout pas, s'islamiser…

– C'est le danger ? Un vrai danger ? Pas un fantasme ?

– Bien évidemment ! Et, en ce qui concerne Israël, tous, je dis bien tous les juifs, doivent revenir ici et, je le répète, « redevenir » des Hébreux ! Dans un premier temps, nous ferons face aux Arabes, puis ce sera la paix entre eux et nous ! Comme il est dit dans le Coran et dans l'Ancien Testament ! Vous m'avez compris ?

– « Compris » ? Je ne sais pas. Entendu, oui.

Jérusalem. Je pense de nouveau à la Ville sainte qui nous entoure. La nuit vient. Dans la rue, j'imagine les visages des passants que je pourrais croiser. Tous « hébreux » ? Ces blonds, ces rouquins, ces noirs, ex-Polonais ou ex-Éthiopiens, anciens Russes ou Américains, sans oublier ces ex-Français, bien sûr. Allez, tous « hébreux » !

La paix, selon le Pr Dajoux, serait donc, enfin, en bonne voie, vu le nombre impressionnant d'olim hadashim... La preuve : c'est samedi soir, ici comme là-bas, et les boîtes de nuit de la Ville sainte, à la fin de ce shabbat, ne désemplissent pas.

Zones sous tension

L'action, et il y en a beaucoup dans le coin, se situe à quelques kilomètres de la frontière égyptienne et tout près de Gaza. C'est dire qu'il y a des endroits plus paisibles dans le monde. Et pourtant, ici, au mochav[1] Yevul, tout respire, ce jour-là, un calme bienfaisant. C'est d'usage, sauf quand « ça tire », et « ça tire » souvent. Cela se sait et se dit.

On me raconte et c'est Jehan qui, si j'ose dire, ouvre le feu :

Jehan : De juin à août 2014, mille quatre cent soixante-trois missiles sont tombés sur notre petite région enclavée entre l'Égypte et Gaza. Là où tu es ! Le Hamas combat Israël, l'Égypte combat l'État islamique, qui, lui, combat tout le monde, l'Égypte, Gaza, Israël et la totalité de l'Occident. Quand on entend les tirs de l'autre côté, en Égypte, toutes les maisons

1. « Mochav » : village agricole.

du mochav tremblent ! Alors, imagine quand ça tombe chez nous ! Quand on a reçu des missiles ici, j'ai vite mis les gosses aux abris, mais, manque de chance, dans tout ce bordel, j'ai reçu un éclat de mortier dans l'omoplate, à un centimètre du cœur. Tous les kibboutzim et mochavim[1] frontaliers ont été évacués. Le lendemain, une famille qui faisait précipitamment ses valises a été atteinte. Un enfant de quatre ans est mort. Bienvenue au mochav Yevul, Serge !

Jacob : Reprenons... On va te parler de notre alya... Venant de France, je suis arrivé en Israël en 1978. Je suis d'abord passé par la « case kibboutz ». Ce qui m'énervait alors, c'était que les grands pontes du mouvement sioniste, eux, ne « montaient » jamais en Israël. Ils se contentaient de nous y envoyer, c'est tout. Mais le kibboutz et le socialisme étaient tellement importants pour moi, que, avant d'y arriver, j'ai dépensé tout mon argent en France, pour ne pas arriver en Israël avec un compte en banque et du fric. Pour moi, cela aurait été une honte ! Oui, j'étais comme ça : un idéaliste. Comme beaucoup. Un homme nu qui venait refaire le monde et créer un « nouveau juif ».

Jehan : Moi, je suis venu de Belgique avec trois copains. Trois camarades. Je suis aussi allé d'abord au kibboutz. Le rêve de toute vie à la grande époque du sionisme. Ma future femme, rencontrée ici, y était née. Puis, un peu plus tard, elle et moi, on a quitté le kibboutz parce que je voulais étudier et ma femme, juste

1. « Mochavim » : pluriel de « mochav ».

voir autre chose… On est arrivés à Tel-Aviv et on y a vécu trois ou quatre ans…

Joëlle : Sa femme, c'est moi : Joëlle ! Quand on est arrivés dans la grande ville, on était totalement perdus ! On ne savait pas ce qu'était une facture d'électricité, faire la lessive ou aller au supermarché… Il nous a fallu une bonne année pour nous adapter !

Jehan : On était paumés, ça oui ! Le kibboutz est un monde hors du monde. Il te prend entièrement en charge. Avant, du temps de l'enfance de Joëlle, c'était l'élite du pays, son aristocratie civile et militaire. Maintenant, ils acceptent n'importe qui ! C'est devenu privatisé et ça ressemble à des villages pour retraités aisés ou bobos friqués, c'est médiocre ! Sans idéologie. Rien !

Joëlle : Médiocre, oui, comme la gauche, en général ! Quand tu penses que les colonies dans les Territoires occupés, inondées de fric américain, se prennent pour les nouveaux kibboutzim !… On croit rêver ! Quelle confusion !

Mon hôte, Jacob Amsellem, reprend alors la parole :

Jacob : Ici, au mochav, chacun a droit à une terre, la cultive, et vit de ce qu'il produit. Tandis qu'au kibboutz, c'est…

Jehan (l'interrompant) : « C'était » !

Jacob : Bon enfin, « c'était » une communauté où tous les biens étaient mis ensemble. T'avais pas de salaire et le kibboutz te donnait ce dont tu avais besoin ! Ici, au mochav, chacun a sa maison, on ne mange pas ensemble, chacun est responsable de sa famille, de l'éducation de ses enfants, bref de tous ses choix ! Au kibboutz, tu fais comme tout le monde...

Jehan : Tu « faisais » !

Jacob : On sait ! Tu « faisais » là où on te « disait » de faire ! J'ai quitté le kibboutz quand il a vraiment cessé d'être fidèle à ses origines et à son idéal !

Joëlle, la femme de Jehan, intervient à son tour : Et on a tout recommencé avec Jehan ! Après huit ans de kibboutz, et trois enfants, je ne savais rien faire. J'avais été tellement assistée !

Moi : Comment se sont passés les premiers temps de votre arrivée en Israël ?

Jehan : C'était à l'époque de la deuxième intifada. Il y avait un attentat ou deux par semaine. Trois mois après mon installation à Jérusalem, un kamikaze s'est fait exploser juste devant moi. Un monsieur, à côté, a tout pris, il est mort. J'étais mal. Je me suis enfermé tout seul dans ma chambre. C'était affreux. En plus, ma famille belge et hyper-communiste m'avait banni au prétexte que j'avais fait mon alya ! J'étais dans une solitude épouvantable. Quand, après, je me suis engagé dans l'armée, mes parents ont eu honte de moi ! Je voulais, après cet attentat, tuer, oui tuer, un terroriste ! Répondre à ces types. Me venger ! J'étais parachutiste. Ultra-motivé. Je suis allé à Bethléem, puis à Hébron. Et là, enfin, je me suis retrouvé face à « eux » ! Et c'est dans ce genre de moment-là que tu te rends compte que tu n'es plus dans le fantasme mais dans la réalité. Quand tu vas arrêter un terroriste dans sa maison, et que tu tombes sur ses enfants qui pleurent et hurlent d'effroi, c'est fini ! Tu arrêtes le mec, tu saisis les armes, tu l'enlèves à ses gamins qui s'accrochent à leur père… Là, moi aussi, Serge, j'ai pleuré. C'est pas humain, d'arracher un père en pleine nuit à sa famille ! C'est dégueulasse ! Voilà, c'est dur à raconter… Ça me revient souvent. J'entends encore les cris, les pleurs des gamins… Un bourreau, voilà ce que j'étais devenu ! J'ai eu besoin de changer de peau. Alors je suis entré au kibboutz. Pour oublier et me retrouver. Redevenir un être humain…

Un temps. Une rupture. Un silence. Et beaucoup d'émotion. Jehan change de sujet :

Jehan : Tu sais, Serge, 60 % de l'agriculture d'Israël, c'est ici. Mais Bibi se fout de l'agriculture ! C'est ce que l'on va te dire aussi dans les kibboutzim ou les autres mochavim ! La plupart des Arabes israéliens, et j'en connais beaucoup, même s'ils se « sentent » palestiniens, sont en fait israéliens. Crois-moi, ils préféreraient vraiment vivre comme nous, et pour toujours. Nos gouvernements ont accumulé les erreurs ! Ils n'ont pas eu l'intelligence de leur donner la possibilité d'être *vraiment* israéliens ! À égalité de droits et de devoirs. C'est comme ça qu'on prépare le prochain conflit. Il sera entre eux et nous, et ce sera une sorte de terrible guerre civile. Oui, terrible, comme toutes les guerres civiles d'ailleurs, avec, en plus, Daesh derrière qui tirera les ficelles et les marrons du feu ! (Un temps.)

Jacob : Il a raison, bien sûr… Tu sais, mon théâtre…

Moi : Ton théâtre ?

Jacob : Oui, ma troupe de théâtre ! On monte des spectacles, on joue avec des Bédouins ! On pourrait en faire plus et mieux ! Comme en France, dans les cités, où il y a tant et tant de choses à inventer ! Mais là aussi, le gouvernement s'en fout, et nous a coupé les subventions alors que l'on est une des rares troupes « mixtes », c'est-à-dire judéo-arabes ! Hier, j'étais à Rahat, une ville bédouine tout à côté. Aux dernières élections, la ville, en Israël pourtant, s'était peinte en vert ! Aux couleurs du Hamas ! Ceux-là, ils s'engouffrent là où il y a du vide ! Ce vide qu'on a créé ! Plus de théâtre ! Plus de subventions ! L'Institut culturel français nous aidait, mais quand les Français se sont retrouvés seuls à nous subventionner, ils ont arrêté eux aussi. À l'institut, ils étaient très bien. Pas comme ces Français qui « montent » ces temps-ci ! Ceux-là, je ne les supporte pas. Ils arrivent avec leurs kippas, ils se croient plus intelligents que tout le monde ! Des prétentieux !

Jehan : De vrais Français, quoi !

Jacob : Tais-toi, mangeur de frites ! Ces Français, ils prennent Bibi pour un gaucho, et votent au moins Liberman ! Ils ne comprennent rien et te donnent des leçons, en plus ! Ils n'ont qu'à rester en France, ces nouveaux colons de merde qui font chier le monde !

Ronit : Pas de gros mots ! Mais c'est vrai : c'est pas le genre d'alya dont on aurait pu rêver !

Orli : Je ne crois pas qu'Israël ait réellement été créé. Il est en train de l'être… Il est dans sa période la plus noire au niveau démocratique et économique : on ne vit pas, on survit. Buvons un verre… ? Laurie, Serge, vous dînez avec nous ?

Laurie et moi : Avec plaisir.

Jacob : Et vous dormirez ici aussi. La route n'est pas sûre du tout. OK ?

Laurie et moi : OK. Mais on ne veut pas vous déranger !

Eux : Ça ne va pas, non ! On va pas vous laisser tout seuls entre Gaza et la frontière égyptienne ! Certes, les Français nous énervent, mais toi, Serge, ça va, pour l'instant !

Moi : Ouf !

*
* *

Laurie frappe à la porte de ma petite chambre du mochav. Fort. Trop fort.

– Grouille-toi.

– Oh ?! Qu'est-ce qu'il y a ?

– Grouille !

J'arrive, hébété, les yeux lourds de sommeil, dans le salon. Scène de film néoréaliste. Ambiance lourde. Lumière plombée. La télé en continu.

– Un attentat !

– Quoi, un attentat ?

– Sarah ?

– Qui ?

– Sarah, ma copine… Avec qui on avait rendez-vous !

– Quoi, « avait » ? Elle… Elle est… ?

– Mais non, abruti ! Elle y a réchappé par miracle ! Elle nous attend à Tel-Aviv. Faut foncer ! Elle veut quand même te voir, mais plus tôt que prévu !

On file. On embrasse Jacob, le seul être humain de la région déjà levé et avec qui j'ai pris la veille tant de plaisir à parler. Et nous voici sur la route côtière qui mène à Tel-Aviv. Laurie a les larmes aux yeux. La radio ne parle que de l'attentat d'hier. On va en avoir le récit. En vrai.

Jaffa, dire « Yafo », la ville mère et matrice de Tel-Aviv, née en 1910. Rencontre au Container, sur le port, avec la belle Sarah, native de Mulhouse, Alsace, et qui a bien failli perdre la vie à Jérusalem, Israël.

– C'était hier à dix-huit heures vingt-cinq... À la gare centrale de Jérusalem. Je vois un passant. Il tenait un truc...

– Un « truc » ?

– Oui... Le « truc », c'était un couteau et il l'a brandi vers moi... Je hurle. Je hurle. Des petits gamins, tout petits, le chassent ! Il se sauve en courant. Nombreux coups de feu. Je tape à la porte d'un immeuble. Une femme m'ouvre. Je me planque dans son appartement. On entend des rafales. Puis plus rien. Les flics, une masse de flics, arrivent ! Puis les télés. Une masse de télés. Mouvement de foule. On entend : « Il y en a encore un ! » Fausse alerte ? Ou le nouveau terroriste aurait-il pu disparaître ? On ne sait pas. J'appelle ma mère. Je la calme et la rassure :

« Je suis vivante. » Je fais ma déposition. J'apprends que mon agresseur a poignardé une femme de soixante-douze ans juste avant d'essayer de s'en prendre à moi, mais, hélas, elle, il ne l'a pas loupée…

– Pauvre dame ! Tu as crié ? Tu as « hurlé », c'est ce que tu m'as dit… ?

– C'est ce qu'il faut faire. On m'a appris ça. Hurler pour faire peur à l'agresseur ! C'est allé très vite. Tu sais, parfois, ils mettent une kippa ou ils se déguisent en soldats pour se fondre dans la masse. C'est la méthode du Hamas. Lui, il voulait tuer des gens. Un maximum de gens et mourir en martyr. C'est ce qu'il lui est arrivé. Un flic en civil l'a abattu. Quand je suis allée au commissariat, un gradé m'a demandé :

– Tu as vu tout de suite que c'était un Arabe ?

– Je n'ai pas crié parce que c'était un Arabe, j'ai crié parce qu'il sortait son couteau de sa poche. Parce que c'était un terroriste. Qu'il soit arabe ou pas, je m'en fous ! À i24[1], ce matin ou hier soir, je ne sais plus à force d'enchaîner les interviews, j'ai précisé que c'était très important de « ne pas confondre "arabe" et "terroriste" »… Je refuse de dire l'« Arabe » ! Je dis le « terroriste » ! Tu sais… Je n'ai pas de haine… Il a voulu me tuer mais je n'ai pas de haine. Par contre, ce qui s'est passé hier me prouve que je sais pas comment on peut s'en sortir… Je me dis que la paix, dans l'état actuel des choses, n'est pas possible… Et puis, justifier tout ce qui se passe

1. Chaîne israélienne internationale d'infos.

par la colonisation », l'« occupation », stop ! Il faut arrêter ! Mahmoud Abbas, *alias* Abou Mazen, dirigeant de l'OLP[1] et du Fatah[2], puis président de la Palestine, ne condamne même pas les attentats ! Sur les réseaux sociaux de chez eux, tu ne lis que des trucs du genre : « Nous ne reconnaîtrons jamais l'entité sioniste ! » Les députés arabes israéliens appellent à manifester pour interdire l'esplanade du Temple aux juifs, parce qu'elle est tout près de leur mosquée al-Aqsa ! Pour moi, cette esplanade n'est ni aux uns ni aux autres ! Elle est, éventuellement, à Dieu, et encore ! Le problème, Serge, c'est que les Arabes n'arrivent pas à s'exprimer parce qu'ils ont peur. Quand ils sont modérés et prennent leurs distances avec leurs chefs de clan qui peuvent être islamistes, ils se font molester – dans le meilleur des cas – et, le plus souvent, massacrer. Pour les femmes, c'est encore pire, si c'est possible ! Pour elles, pas de liberté personnelle, sexuelle encore moins, et intellectuelle, jamais ! Tout est régi par l'hamoula [la famille élargie] et tu ne peux pas t'en dissocier. Il y a donc deux sociétés, la nôtre et la leur, qui s'affrontent avec des valeurs différentes.

Un temps…

– Non, je n'ai pas basculé à droite. Tout en considérant que nous devons nous conformer à nos valeurs

1. OLP : Organisation de libération de la Palestine.

2. Fatah (Conquête) : mouvement de libération de la Palestine fondé par Yasser Arafat au Koweït en 1959.

juives humanistes, il y a un moment – et hier, pour moi, c'était l'apogée – où tu te dis que la paix, vraiment, s'éloigne !… Personne n'en veut, de cette foutue paix ! Ni Bibi ni les Arabes ! Ceux-là doivent faire une révolution culturelle ! Une femme, importante responsable palestinienne, a posté sur son site des accusations de « meurtre rituel » commis par les juifs à Pessah et affirme que nous tuons des bébés pour faire du pain azyme[1] ! Elle l'a dit ! Et elle sait ce qu'elle dit, c'est une « intellectuelle », n'est-ce pas ? Comment faire la paix ? Comment ? Et avec qui ?

Un temps…

– Quand j'aurai des enfants, qu'est-ce que je ferai ? Comment je vais vivre en sachant qu'il y a peut-être un terroriste près de leur école ? C'est ma plus grande angoisse… Mais, ça va te paraître étrange, c'est inexplicable, je suis beaucoup plus sereine ici qu'à Paris. Je reviens à l'attentat d'hier. Entre le moment où j'ai vu le couteau qui allait se planter en moi et le moment où on a tiré sur le terroriste, il s'est écoulé entre quinze et vingt secondes. Pas plus. Et tout le monde a réagi. Tout le monde a été solidaire ! Ici, c'est « Not safe but secure ». En France, c'est « Not safe, not secure ». On termine ?

– Si tu veux…

– Sarah : Je suis juive ashkénaze de France. Et je suis passée de minoritaire dans la minorité (juive de France)

1. Pain azyme ou matza : pain spécial des fêtes de la Pâque, cuit sans levain.

à majoritaire dans la majorité (juive d'Israël). C'est une révolution. « Majoritaire dans la majorité. » Je n'ai pas peur ! Je n'ai plus peur ! Tu me crois ? Tu m'entends ? Tu me crois ? Je dis la vérité.

– Oui…

Ces femmes qui me rendent mélancolique

De Tel-Aviv à la « colonie de peuplement » d'Eli, au sud de Naplouse, en pleine « Cisjordanie occupée », il y a juste quelques coups de volant secs rythmés par des bordées de petites injures et quelques frayeurs répétées. Merci, Laurie la vaillante, qui me fait tant rire et frémir lorsqu'elle conduit comme on va à la guerre. Par ailleurs, vous avez dû remarquer, car, à n'en pas douter, vous êtes perspicace et attentif, que j'emploie de prudents guillemets pour accompagner les expressions « colonie de peuplement » et « Cisjordanie occupée ».

Mon hôtesse, charmante au demeurant, ne parle, elle, que de « Judée-Samarie » et d'un village, Eli, le sien, qui est, me dit-elle, parmi d'autres avant-postes, le « bouclier d'Israël ». Pour se faire bien comprendre, elle me précise :

– Le peuple juif qui retourne sur sa terre, c'est la chose la plus morale qui soit. Nous ne sommes pas des « colons ». Nous sommes chez nous ! Au cœur d'Israël ! Notre place est ici et c'est écrit dans la Bible elle-même ! Une « occupation » ? Quelle « occupation » ? me lance avec force Ilana, prénom hébreu de celle qui se nommait, jadis, Michelle.

Elle insiste :

– Serge, vous ne pouvez pas comprendre ce qui se passe chez nous si vous êtes athée !

Puis elle me questionne, taquine :

– Pour commencer, seriez-vous, Serge, membre du BDS[1], cette association de gauchistes qui appelle au boycott des produits agricoles ou industriels venant de ce qu'ils appellent, eux, les « Territoires occupés » ?

– Non.

– Seriez-vous de ceux qui, par exemple, voulaient interdire aux danseurs du Ballet d'Israël de se produire à Paris ?

– Non.

– Seriez-vous une sorte de porte-parole, certes officieux, mais réel, des extrémistes pro-Palestiniens acharnés à notre perte ?

– Non.

---

1. BDS : Boycott, désinvestissement et sanctions. Mouvement propalestinien et international qui appelle à un boycott économique, politique, universitaire et même culturel d'Israël, en raison, affirme-t-il, de l'occupation des territoires et de l'installation des « colonies » qui ont fait suite à la victoire de 1967... Pour « BDS », il faut : 1) démanteler les « colonies » et détruire le mur de plus de 700 kilomètres de long qui sépare Israël de la Palestine ; 2) mettre fin au système israélien de discrimination juridique, qui correspond à l'apartheid de l'ancienne Afrique du Sud, envers les « citoyens palestiniens d'Israël » ; 3) boycotter de par le monde les produits manufacturés en Israël ou dans les colonies...

Une pause. On se sourit. Un peu. Et comme on peut. Elle se demande vraiment ce que je viens faire chez elle. Moi, je sais : je viens écouter une ex-Française qui a choisi de vivre ici, à Eli, « implantation » (ça passe un peu mieux) où, parfois, des Palestiniens, armés de couteaux, s'infiltrent.

Pour égayer la conversation, je regarde par la fenêtre : la vue est magnifique et si je ne craignais pas de me laisser aller à une émotion excessive dont l'expression serait carrément hyperbolique, je dirais que j'en ai le « souffle coupé ». Je le dis quand même. Ilana me répond sobrement :

– C'est la Bible. Vous voyez, la Bible. Et, oui, ça peut être beau. C'est beau. Tout est beau. Dieu n'a pas choisi cet endroit par hasard pour en faire sa résidence sur la Terre. Vous comprenez ?

– Oui. À peu près.

– J'aime mieux. Regardez encore dehors...

– C'est ce que je fais.

– Je vous disais que l'on était le « bouclier » du pays. Demandez-moi, s'il vous plaît, pourquoi et comment ?

– Volontiers : pourquoi et comment ?

– Des frontières d'avant la guerre des Six Jours, en 1967, de la Jordanie à la mer, dans certains endroits, il y avait tout juste dix-neuf kilomètres. Dix-neuf kilomètres ! C'est rien. Et si on n'était pas là, ce serait Daesh qui y serait. Vous imaginez le topo ! Toutes nos implantations, vous le savez, sont construites sur des collines. Elles sont plus de cent cinquante à surplomber et à protéger le territoire que l'Éternel a donné à notre peuple. D'ici, on voit tout Israël. De l'un des quartiers de mon village, on aperçoit même le mont Hermon, au Liban. Et là-bas, pas loin, ce sont les tours de Tel-Aviv. C'est vous dire. Il s'agit d'une vraie position stratégique. Tous les Israéliens ont dans leur conscience collective ce qui s'est passé après le retrait de la bande de Gaza. Vous vous en souvenez ?

– Oui…

– Mais non, vous n'étiez pas là !

– Exact. Mais il arrive que l'on puisse se souvenir et imaginer des choses que l'on n'a pas vécues… Je vous écoute.

– Les missiles partaient de Gaza, que l'on avait très imprudemment rendu à des assassins, et allaient frapper le cœur de Tel-Aviv. Une bonne affaire. Bravo ! Alors les juifs se sont demandé : « À quoi ça sert de faire des risettes à nos ennemis ? » Et ils se sont juré de ne jamais refaire cette erreur ! C'est pour ça qu'on est totalement contre un État palestinien. Il faut annexer la Judée-Samarie. Tout simplement. Comme Jérusalem. Et donner aux Palestiniens le même droit qu'aux Arabes israéliens. Ils en seraient ravis. Je ne suis pas une gauchiste, moi !

– Je l'avais senti… Une sorte d'intuition !

– J'étais totalement contre les accords d'Oslo et la politique de Rabin. C'était une énorme erreur. Les gens de gauche sont des racistes !

– Allons bon ?

– Mais oui ! Les mecs de Tel-Aviv qui n'ont jamais vu un Palestinien de leur vie, ils s'extasient en mangeant un kebab comme s'ils prenaient un joint ! Coupés des réalités ! Coupés de tout ! Le constat que je fais pour la gauche israélienne est valable pour la gauche française ! Des fumeurs de joints ! Comme vous quand vous étiez jeune, ou bien encore maintenant…

– Confidence pour confidence, je n'ai jamais fumé de joint.

– Je suis retournée en France, il y a dix-huit mois. J'étais choquée. Les gens ne se regardent même plus dans les yeux. Ça va exploser. Ici, au moins, on a l'armée, ça calme le jeu avec les Arabes ! D'ailleurs, ils ont abattu deux terroristes palestiniens qui faisaient les malins par ici, il y a tout juste quelques jours…

Un temps.

– En France, non, je ne suis pas tranquille. Je suis allée chez ma cousine en région parisienne. Je l'ai accompagnée à la synagogue. Le rabbin parlait de se faire enterrer en Israël, surtout pas en France. Ça sent la mort. Ça sent la mort du judaïsme. Aujourd'hui, ici, tous les ans, il y a des groupes d'une quinzaine de familles de France qui font leur alya. Une alya, oui, mais de groupe, une alya collective ! Ça les aide à éviter le déracinement. Ils arrivent tous ensemble et vivent dans le même quartier d'Eli. 98 % d'entre eux restent en Israël ! Ils commencent par louer une maison et, ensuite, ils l'achètent ! C'est bien moins cher dans nos implantations que partout ailleurs dans le pays ! Et croyez-moi, cher monsieur Moati, parmi nos nouveaux membres, il y a beaucoup de convertis !

– Sans blague ? Des convertis ?

– Oui, monsieur. On a un pasteur.

– Un vrai pasteur ? Un protestant ?

– Évidemment ! Pas un bouddhiste ! Il est venu ici avec son fils et son petit-fils, et ils se sont convertis ! Très heureux, ces goyim devenus juifs ! On a aussi une famille d'évangélistes de Guadeloupe, et une autre composée d'animistes du Congo : tous convertis ! Allez hop !

– Hop !

La nuit vient. Il faut rentrer vers Tel-Aviv et quitter le bouclier d'Israël. La jeune et impétueuse guerrière devenue, progressivement, plus avenante, me retient sur le seuil de sa maison alors que des familles religieuses se rendent en bruyante procession vers une des nombreuses synagogues de l'implantation. Elle me dit alors :

– Monsieur Moati, vous êtes retourné au kibboutz, celui où vous étiez, petit ?

– Non, pas encore... mais j'irai...

– Vous serez déçu. C'est mort. Comme le judaïsme en France. C'est nous, les nouveaux kibboutznikim ! Nous renouons avec l'esprit des pionniers. La nouvelle utopie, celle que vous aimiez tant à l'époque, c'est nous, les « colons », comme vous dites, qui l'incarnons ! Nous vivons dangereusement. Mais je n'ai pas peur. Je vous ai parlé des deux terroristes de l'autre jour… Nous sommes entourés d'Arabes et nous défendons Israël au milieu d'un océan d'ennemis. Nous avons, les Français et nous, le même ennemi : Daesh ! C'est pareil, même s'ils s'appellent par ici Hamas ou Hezbollah. Guerre des couteaux et même intifada des couteaux – plus de deux cents attaques depuis octobre 2015… Guerre des tunnels du Hamas à Gaza… Guerre des missiles du Hezbollah… Guerre nucléaire avec l'Iran… La liste est longue des fous qui nous haïssent. Il ne manque plus que les drones-suicides qui nous tomberont dessus… Alors il faut qu'il y ait des sentinelles sur cette terre : j'en suis une et je suis fière de défendre la Terre d'Israël. J'ai fait mon alya pour cela. Faites attention en rentrant. La route n'est pas sûre. Il y a tout le temps des saloperies qui se passent. Roulez vite. Et ne vous arrêtez pas en chemin pour admirer le paysage. L'armée risque de vous prendre pour un terroriste ! Mais non, je blague ! De toute façon, vous ne verrez plus rien à cette heure-ci ! À part les étoiles. Et si vous voulez faire pipi avant de partir, c'est au fond du couloir à droite.

– Merci, ça va pour l'instant. Shalom.

– Shalom.

Décidément, je n'arrive pas à partir. Me voici de retour vers Ilana : j'ai comme le remords de ne pas avoir abordé une question, sous forme de demande de précision :

– Je croyais que, ici, il y avait surtout des juifs américains…

– Pourquoi ?

– Parce que ce sont les organisations sionistes américaines qui ont largement financé les colonies...

– On n'est pas des « colonies » !

– Vrai ou faux, mon histoire de financement ?

– Et alors, vous n'allez tout de même pas reprocher, cher monsieur le journaliste, à des juifs américains de vouloir nous aider ! Et vous n'allez pas, en plus, leur en vouloir d'avoir l'esprit « pionnier », comme leurs ancêtres qui ont eux-mêmes bâti les États-Unis ? Où est le crime ? Moi, je leur dis merci. Merci, thank you, et de tout mon cœur.

– Alors, good night, Ilana.

Tel-Aviv. Un bar d'hôtel. Une (très) belle femme. On boit. Enfin, c'est moi qui bois et elle qui me parle :

– Franchement, je peux vous parler « franchement » ?

– Bien sûr.

– Vous ne donnerez ni mon nom ni mon prénom...[1]

– Bien sûr.

Nommons-la Julia ou Alexandra. Disons Alexandra.

– Rien ne va. Ma vie s'est arrêtée quand j'ai quitté la France. C'est mon mari qui a voulu de toutes ses

1. Il m'est arrivé très souvent de changer, à leur demande, le nom et, parfois, le prénom de mes interlocuteurs. Pas leurs propos, non, leur identité. Ils avaient leurs raisons. Je les respecte.

forces partir. Un sioniste. Un vrai. Il a une obsession : celle des Arabes qui, selon lui, sont partout et nous haïssent. Jusqu'aux bagagistes arabes de Roissy qui feraient exprès de faire traîner les bagages venant d'Israël ou iraient même, selon lui, jusqu'à les voler. Il devenait presque fou. Il voulait rompre avec la France et sa vie là-bas. Je l'ai suivi parce que je l'aime, mais je n'ai jamais aimé Israël. Je suis tout le temps angoissée ici. J'ai peur, constamment peur. De tout. Des guerres passées et futures. Des attentats permanents et de la démographie hostile. Ce fut un tel choc pour moi de partir : Israël, c'est la mort. Quand je suis retournée à Paris, je me suis rendu compte que j'étais en deuil de la France. Un deuil sans fin. En France, j'étais juive, ici, je ne sais plus qui je suis. C'est une perte d'identité totale. Je suis en état de survie. Juste de survie.

– Vous voyez quelqu'un ?

– Un psy ?... Oui, par téléphone... Heureusement que je peux lui parler. Autour de moi, les gens sont trop... intrusifs... Ils veulent tout de suite être fusionnels, tout savoir sur vous, ne pas vous quitter, jamais. Ils sont très solidaires, c'est vrai, mais surtout très collants ! Je ne supporte pas. Ils parlent tout le temps. Et fort. Et, d'ailleurs, ils ne parlent pas : ils gueulent ! Tout est cash. Tout est étalé sur la place publique. Pas de demi-teintes, de non-dits, ni d'ambiguïtés. En fait, moi, je voudrais être un peu seule, rien qu'avec mon mari et mes enfants. Je ne veux pas passer ma vie à déjeuner entre copines, à blablater et à faire du shopping toute la journée. Mais c'est leur truc. Et puis, elles voyagent, elles voyagent, elles s'étourdissent en voyageant au loin, car ici, c'est tout petit ! On tourne en rond et la guerre tourne autour de nous. Je rencontre aussi beaucoup de femmes seules. Les couples explosent avec cette histoire d'alya-Boeing ! Les hommes à Paris, pour leur boulot, les femmes ici ! Peu de couples résistent à ce régime. On a saccagé les mémoires d'avant l'alya. Comme si rien n'avait existé. On est tous comme des orphelins amnésiques. La seule chose qui réunit ce peuple d'Israël, c'est l'alya. Mes « copines » ne vont pas vers les Israéliens. Elles restent entre Françaises friquées, très friquées. Comme moi, d'ailleurs... Non, ça ne va pas...

Elle a de grands yeux sombres, Alexandra. La mélancolie, parfois, rend les femmes bien séduisantes. J'aimerais être psy pour l'écouter encore. Avec un peu de chance, elle me trouverait bienveillant et attentif, alors que je serais surtout ému par son abandon et son émotion. J'ose un autre whisky. Et tente de la faire rire, avec un succès moyen. On se quitte. J'aimerais tant qu'elle aille mieux. Son parfum dans l'air m'enveloppe alors qu'elle s'éloigne. Elle va retrouver ses enfants dont elle m'a montré les photos : magnifiques. Comme son mari, d'ailleurs. Ce qui me réjouit pour elle. Je suis un bon gars : un ancien petit kibboutznik vertueux. Celui-ci, néanmoins, se demande si Alexandra repartira ou pas, un jour, (re)vivre en cette France qui lui manque tant.

Ou bien fera-t-elle ces constants allers-retours de plus en plus pratiqués, en ces temps de mondialisation et de nomadisation en l'occurrence heureuse, que des moyens financiers conséquents favorisent ?... À suivre. Je suivrai.

« Je suis devenue “Rachel” »

Ce matin, j’ai envie de paix. Oui, mais laquelle ? Je précise, comme ce désir ne m’est pas totalement familier, que je souhaite rencontrer un rabbin. Cela tombe bien, la fortune souriant aux mécréants : David Ben Ezra, homme de Dieu et rabbin de son état, connu dans la communauté française et au-delà, veut bien me recevoir. Il faut aller chez lui à Modiin Illit (« Les Hauteurs de Modiin »), autrement nommé Kiryat Sefer, « la Ville des livres ». Modiin ou Kiryat, j’y suis. Et m’y perds. Laurie aussi. Nous sommes dans la plus grande colonie juive de Cisjordanie, entre Samarie et monts de Judée, à trois kilomètres au-delà de la fameuse « ligne verte », née de l’armistice de 1949. Jérusalem n’est pas très loin, Tel-Aviv non plus. La ville-colonie, elle, a été bâtie en 1993, pour fournir des logements à une population extrêmement religieuse, à laquelle, comme à Eli, il ne faut surtout pas dire qu’elle vit en territoire « occupé ». Cela serait du dernier mauvais goût et constituerait un *casus belli* majeur. Vous n'êtes pas obligé, non plus, de rappeler que la communauté internationale, pour une fois assez peu divisée, considère Modiin Illit comme une implantation « illégale » au regard du droit international. Ce que la « gauche-gauche » israélienne admet volontiers, et que le gouvernement israélien conteste avec vigueur : pour lui, ces soixante mille habitants vivent *en* Israël. Et ce, pour l'éternité. Situation, pour l'heure, inextricable. Comme de trouver la maison de David Ben Ezra parmi les innombrables synagogues et yeshivot[1] (ou centres d'étude de la Torah), qui pullulent entre deux tours d'immeubles flambant neuves plantées au cœur d'un admirable paysage. Me voici donc dans un autre « bouclier d'Israël », mais celui-ci prend la forme d'une grande ville sans charme excessif ni ostentatoire. Le rabbin, très chaleureux, me cueille d'emblée avec un discours, une chaise et un café :

– Serge, les juifs de France, très souvent originaires d'Afrique du Nord, et dont je m'occupe spirituellement, ont besoin et envie de pratique. Beaucoup plus qu'un Israélien laïc ! Les juifs de France, en grande majorité, font shabbat, les grandes fêtes, et jeûnent, bien évidemment, à Kippour. Ils sont très traditionalistes, mangent cacher et tout. Et ils ont peur.

– Parlez-moi de cette peur…

– À Levallois, ville que je connais bien et où j'ai vécu, dix-sept familles sur vingt-quatre sont parties à

1. Pluriel de « yeshiva ».

la suite des attentats. Les synagogues de la couronne parisienne se dépeuplent. Tous mes confrères rabbins vous le diront. Les juifs émigrent. Transfert de population : ils craignent les Arabes et, à Paris, vont vers les 16e et 17e arrondissements, ces nouveaux « ghettos » juifs. Là, ceux qui en ont les moyens matériels ont la possibilité de pratiquer plus aisément grâce aux nombreux commerces cacher, et ont surtout moins peur d'être agressés. Combien de temps cela pourra-t-il encore durer ? L'envie de vivre en juif, totalement en juif, est très ancrée en eux. Israël, bien sûr, répond à ce désir, à cette forte volonté exprimée par beaucoup d'émigrants français, de mener une vraie vie juive grâce à la voie du milieu.

– Du « milieu » ?

– Oui, la voie du milieu, celle de l'harmonie, de l'équilibre. Un rabbin de Paris a dit qu'il y a trois voies dans la vie religieuse : celle de la bonté, celle de la rigueur, et celle du milieu. Le christianisme a emprunté la voie de la bonté et il a tué beaucoup de gens au nom de cette bonté. L'islam a pris la voie de la rigueur, de la soumission et il tue des gens en masse parce qu'ils ne sont, justement, pas assez soumis. Les juifs, eux, ont pris la voie du milieu, en proclamant : « Restez comme vous êtes ! » On n'est pas prosélytes, on convertit peu et seulement ceux qui le veulent intensément. On accueille alors comme des frères et des sœurs ceux qui rejoignent la maison d'Israël. Dieu, lui-même, a dit à Moïse : « Lorsque viendra te voir un homme afin de se convertir avec une intention pure, rapproche-le et ne l'éloigne pas. » Relisez le Talmud, cher Serge...

– Je vais commencer par le lire.

– C'est un bon début... Vous y lirez que « le berger d'excellence ramène toujours son troupeau au bercail ». Moïse, lorsque le temps sera venu, reviendra avec la génération du Sinaï, toute la génération, y compris, bien sûr, les convertis, pour entrer en Israël, lui qui est mort avant de franchir le seuil de la Terre promise. Nous ne refusons aucune personne dotée d'un cœur pur dans le judaïsme. Nous l'interrogeons, nous tentons de comprendre ses réelles motivations, et nous lui enseignons notre histoire et nos traditions, nous étudions avec elle la Torah, nous lui enseignons avec bonheur le judaïsme en sa pratique quotidienne, nous lui apprenons à lire la Bible dans le texte, à comprendre le sens des fêtes et à fréquenter assidûment la synagogue. « Bienvenue dans le peuple juif », disons-nous au nouveau ou à la nouvelle convertie !

Rachel, copine de Laurie, fait son entrée en scène. Elle est toute jeune et jolie. Elle-même a été convertie grâce à l'enseignement du rabbin Ben Ezra. Elle est comme un rayon de soleil inattendu.

– Je savais que vous étiez là ! Je suis devenue Rachel, après ma conversion. Je viens de Paris, comme 70 % des Français montés en Israël !

Les deux jeunes femmes s'embrassent comme du bon pain.

– Merci de nous rejoindre, Rachel ! Laurie m'a dit que vous veniez de faire votre alya. Dites-moi pourquoi ? lui ai-je aussitôt demandé, avec cette rare audace qui dénote chez moi une vraie et forte originalité.

– Pourquoi ? Parce que je suis tombée amoureuse de Tel-Aviv à seize ans ! Et c'est cette ville qui m'a donné envie de vivre en Israël ! Aucun idéal sioniste, je l'avoue !

Je bafouille un vague « Ah… » mi-perplexe, mi-interrogatif, ce qui lui permet d'ajouter, devant le rabbin qui se met à opiner du chef :

– Plus on est ici, plus on devient sioniste. On ouvre les yeux, et c'est là que le cheminement se fait !

J'attends. Puis vient le récit – court – de la conversion de celle qui n'était pas encore Rachel :

– J'avais dix-neuf ans. Cela a duré dix mois. Avec des cours plusieurs jours par semaine. La conversion, ça te change profondément. C'est un voyage, un vrai. C'est un espace-temps, dans le monde, bien sûr, mais surtout hors du monde, pour mieux le rejoindre ensuite. Je crois que je suis devenue plus profonde, plus précise. J'ai lu, ou plutôt, j'ai appris à lire. J'ai écouté et dialogué avec David Ben Ezra. J'ai prié, j'ai appris à prier. Et, surtout, j'ai senti que tout l'univers vivait autour de moi et que toute l'histoire du peuple juif s'incarnait depuis l'Exode et la rencontre de Moïse avec l'Éternel sur le mont Sinaï ! J'avais la sensation d'y être ! Oui, j'étais en bas de la montagne, au milieu de ce peuple « à la nuque raide », et en haut, avec Moshé dans son face-à-face avec ce Dieu invisible et dont il sentait si fort la présence. Cette conversion a été pour moi bouleversante. Maintenant, je crois être une juive responsable, je comprends le sens des fêtes et du rituel. Tu veux que je te raconte l'étape finale ?

– Oui, si tu veux bien…

– À la fin des fins, j'ai eu trois rendez-vous devant trois juges, ce que l'on appelle le « Beth-Din »… La première rencontre, c'est juste pour se présenter, elle dure dix minutes. La deuxième est une sorte d'examen blanc sur tes connaissances religieuses, sur ce que tu as appris pendant ces dix longs mois. La troisième rencontre est très solennelle. Je suis passée devant trois rabbins. Une heure au moins. L'un d'entre eux m'a posé cette question : « Mademoiselle, vous semblez intelligente, pourquoi avez-vous décidé de devenir juive alors que c'est le peuple le plus haï de la planète ? » Là, je me suis mise à pleurer et j'ai répondu comme j'ai pu… Je pleurais d'ailleurs tant et tant que je ne suis même pas sûre d'avoir été comprise. Les trois juges sont finalement sortis pour délibérer. Puis ils sont revenus pour rendre leur jugement. Ils ont simplement dit : « Bienvenue dans le peuple juif ! » J'étais bouleversée. Puis ç'a été la cérémonie du « mikvé », le bain rituel. C'est magnifique. On te plonge dans l'eau et il y a une bénédiction. Quand tu sors de là, tu es considérée comme un nouveau-né. Et tout de suite, comment l'oublier, une femme est venue vers moi et m'a demandé de la bénir. Ensuite, toute la journée, j'ai fait venir, pour les bénir, toutes les personnes que j'aime, dont Laurie… Je renaissais. Rachel venait au monde. Comme juive.

– Une seule question que je n'ai pas osé te poser jusqu'à présent… Je peux ?

– Oui, bien sûr.

– Pourquoi devais-tu te convertir ?

– Parce que ma mère n'est pas juive. Ma mère que j'aime tant. Je voulais, moi, être juive. Je le suis. J'en suis heureuse. Et fière.

Le destin de la nouvelle Rachel. Une alya, une double alya. Une montée, une double montée. Elle est géographique. Elle est spirituelle. Elle est ascension. Et élévation.

La jeune femme est émue et son émotion m'émeut. Je me retourne vers le rabbin que, brusquement, je tutoie :

– Comment tu es devenu rabbin ?

– Très jeune, Dieu, pour moi, a été une évidence. À cet âge-là, en région parisienne, j'étais déchiré entre ma passion pour le « Club Dorothée » à la télé, et les cours de Talmud Torah ! Un dilemme mais une certitude, il y a un Créateur et ce Créateur nous a donné le mode d'emploi de l'univers : c'est la Torah, notre livre saint ! Et cette lecture est devenue ma passion et j'en ai fait mon métier, depuis que j'ai, lâchement, abandonné Dorothée et son club ! Mais je ne me coupe pas du monde ! Du tout. Je parle au public, j'accompagne l'alya des Français. Et m'occupe d'éventuelles conversions. La conversion, c'est le retour de celles et ceux qui doivent revenir, comme Rachel. Je bénis le monde, même s'il est difficile de comprendre pourquoi le peuple juif a tant souffert et souffre tant ! Pourquoi Dieu laisse faire ? Éternelle question.

– Sans réponse ?

– Dieu fait tout pour nous faire sortir du cercle infernal du mal. Relis le livre de Job. Là est la réponse.

– Oui... Dis-moi, cela signifie quoi, profondément, pour toi, de porter une kippa ?

– Cela signifie que l'on salue la tête couverte le Créateur et que l'on a une responsabilité. Les tentations sont les mêmes pour tous, mais je me dois d'être irréprochable. Un type qui a une fonction rabbinique ne doit pas faire de grosse gaffe ! Il y avait un rabbin, un jour à Toulouse, qui a trompé sa femme, eh bien, il s'est fait virer de la communauté. Chez les super-orthodoxes, on l'aurait prié, en plus, de déménager loin, très loin ! Moi, entre les différents courants du judaïsme en Israël, les orthodoxes et, disons, les sionistes religieux, je serais plutôt du côté de ceux-ci ! Contrairement aux orthodoxes présents ici même à Modiin, nous ne vivons pas en marge des sociétés laïques ! Nous concilions sionisme et principes fondateurs de la Torah. Nous sommes politisés, nous influons sur la politique de l'État, cet État que nous définissons comme « sacré ». Nous servons dans l'armée où nous sommes très actifs dans les unités d'élite ! Pas les orthodoxes ! Pour eux, même l'alya n'est pas obligatoire. Pour nous, si : tous les juifs doivent venir en Israël. C'est une vraie opposition entre eux et nous. Et c'est grâce à notre présence sur cette terre que viendra le Messie tant espéré. Le célèbre Rav Kook, un de nos maîtres, avait vu dans le retour en Israël du peuple juif le début de la rédemption. Alors, oui, nous sommes sionistes *et* religieux, nous habitons près des Arabes, ce que refusent de faire les orthodoxes, nous allons, à Jérusalem, prier au Kotel, le mur des Lamentations, ce que refusent, aussi, de faire les orthodoxes. C'est, pour nous, une mitsvah, un devoir, dont eux ne se sentent pas investis ! Alors, habiter dans les Territoires, non, jamais, ils ne le feront ! Nous, on est fanatiquement patriotes israéliens. On habite ici, on sert la patrie, on porte l'uniforme et on prie sur l'esplanade du Temple ! Ce lieu, on l'a gagné par la guerre, alors on y va et on y prie. Comme les Territoires, c'est la même histoire : Dieu les a offerts à notre vaillance ! Et nous retrouvons notre patrie historique ! Dernier paradoxe, rigolo celui-ci : les non-religieux préfèrent, à tout prendre, les orthodoxes, parce que, eux, au moins, ils « n'excitent » pas les Arabes ! Ni dans les Territoires en y vivant, ni sur l'esplanade du Temple en y priant, pas plus qu'au sein de l'armée en y guerroyant ! Voilà, Serge. C'est immense d'être en Israël. Immense ! Les prophéties se réalisent : qui aurait dit que, en 2016, plus de la moitié du peuple juif y vivrait déjà ? L'alya est un miracle. Elle annonce les temps messianiques, ceux du triomphe de Dieu et de son peuple, les enfants d'Israël qui n'ont jamais douté de lui. Ce sera la paix universelle, la sagesse régnera en maîtresse sur l'univers et tous les morts ressusciteront...

– Merci, David !

– Merci à toi, Serge !

– Non, à toi ! Passe me voir à Paris !

– Et toi, n'hésite pas à revenir à Modiin !

Rires. Rachel et Laurie pouffent devant tant de civilités réciproques. Nous nous quittons avec la bénédiction, implicite, du rabbin Ben Ezra.

Notre voiture quitte Modiin. Je rêve. Au nom de Dieu, certains « s'implantent » ou « colonisent ». Au nom de ce même Dieu, d'autres, violemment, à coups de missiles, de roquettes ou de couteaux, les combattent. Au final, tous s'entretuent. Et Dieu, obstinément, regarde ailleurs. C'est quand même incroyable que cet ingrat semble aimer aussi peu ceux qui professent de tant l'aimer.

Un peu plus tard, laissant loin derrière nous Modiin, j'apprends par Laurie, en vrac, des nouvelles qui ne sont guère réconfortantes :

1) Un récent sondage indique que près de la moitié des Israéliens (49 %) ne veulent pas vivre dans les mêmes immeubles que des familles arabes ;

2) Un (incertain) député nommé Bezalel Smotrich a soutenu l'idée que les hôpitaux devraient séparer les mamans arabes et juives dans les services de maternité. Il aurait même étayé ses propos de la façon suivante : « Ma femme n'est vraiment pas raciste mais elle vient d'accoucher et ne voudrait pas se retrouver allongée près d'une femme qui vient, elle, de donner naissance à un bébé qui pourrait vouloir assassiner le sien dans vingt ans » (!) Revital, la susdite femme de l'élu, a insisté, en direct, sur la Chaîne 10 : « Je ne me sens pas bien dans la même chambre qu'une femme arabe ! Et je ne veux pas que des mains non juives, celles de médecins ou de sages-femmes, touchent mon bébé !... »

Puis, enfin, Laurie termine en beauté sa revue de presse de l'heure, en citant Isaac Herzog, chef de l'opposition, patron du Parti travailliste, indigné par les propos du député et de sa femme : « Le racisme est une trahison des valeurs sacrées juives et israéliennes ! J'invite Bibi à venir visiter avec moi un hôpital et à rencontrer des médecins arabes et juifs qui soignent tous les malades et s'occupent de toutes les jeunes mamans, arabes et juives... »

Laurie ajoute :

– Ils pourraient aussi venir visiter mon immeuble et plein d'autres, où les juifs et les Arabes vivent ensemble et dans la paix ! Et après, tant qu'ils y sont, ils devraient dîner, entourés de juifs et d'Arabes, dans un restaurant arabe ou juif de Jaffa ! Où, d'ailleurs, on ira ce soir, Serge !

– Oui, cheffe !

On rit. Et on passe aux nouvelles internationales, aussi peu réjouissantes, disons-le, que les locales !

La jeunesse branchée d'Israël

– Allez, dis-je à Laurie d'un ton vindicatif, je veux voir des jeunes Français différents. J'en voudrais des un peu « à gauche », si cela existe ! Toi, tu es bien de gauche, tout de même ! Tu serais la seule, l'unique jeune-Française-juive-de-gauche-à-avoir-fait-son-alya ? Je veux pas le croire !

Elle me répond, comme elle conduit : nerveusement.

– Je n'y peux rien si l'alya française est de droite et si le centre de gravité de la communauté est passé de l'autre côté. C'est fini, le temps des grands juifs de gauche, genre Badinter, Théo Klein, Attali et les autres ! Qu'est-ce que j'y peux, moi, si, à gauche, vous vous désintéressez de la communauté et semblez bouder ses représentants et ses institutions ! D'ailleurs, c'est aussi la faute à la gauche française puisqu'elle n'a pas su nous retenir en France !

– Trop facile, ma belle ! L'actuel gouvernement, de gauche, je te le rappelle, est impeccable pour assurer la sécurité de la communauté et pour veiller sur l'avenir d'Israël, « notre allié et notre ami[1] », comme aurait dit…

– Bon… Bon ! Je sais ! Tiens, je te parlais d'Attali ? Je vais t'en montrer deux, d'Attali, pour le prix d'un ! Un frère et une sœur : Ilana et Jonathan. OK ? De toute façon, c'était prévu. OK ? OK ?

– OK. Ne répète pas tout deux fois. Je suis vieux certes, de gauche certes, mais pas totalement sourd. On y va en voiture ?

– Non. À pied.

– Ouf.

– Pourquoi tu dis « ouf » ?

Silence prudent.

Ilana a trente ans. Jonathan, vingt-cinq. Nous les rencontrons dans un café dit « progressiste ». C'est ainsi, selon Laurie, que l'on surnomme à Tel-Aviv les nombreux lieux de rencontre de la jeunesse branchée et… progressiste.

Cela commence par un constat plutôt désabusé :

Ilana : Ma mère n'est pas vraiment politisée, mais…

Moi : Mais ?

Ilana : Elle est naturellement de droite, comme la plupart des juifs français !

---

1. … De Gaulle.

Moi (timidement) : Je sais…

Ilana : Moi, par contre, j'ai renforcé « ma » gauche ici ! Après les dernières élections, où la droite est passée, j'ai vraiment pleuré et je me suis dit que je ne pouvais plus rester dans ce pays ! On va dans le mur. Le jeu n'en vaut pas la chandelle. Est-ce que j'ai envie d'élever mon bébé avec pour seule perspective qu'il devienne soldat, qu'il meure à la guerre, ou qu'il tue des Arabes ? Non !

Jonathan : Le sionisme, tu le perds en venant ici ! Bien sûr, le peuple juif, on l'a assez dit, a besoin d'une terre, mais je n'y crois plus qu'à moitié ! Question : ce fameux « sionisme », en l'état actuel des choses, ne nous dessert-il pas, quand on n'a pas de frontières fixes et que l'on occupe une autre terre !? Ah, non, on n'a pas concrétisé les objectifs initiaux des fondateurs de l'État ! Oui, je sais, je parle comme un vieux kibboutznik, mais je ne vis pas en kibboutz et j'ai tout juste vingt-cinq ans ! Je n'aime pas cette « start-up nation », comme ils disent, avec plus d'un million cinq cent mille pauvres et tous ces religieux qui ne font même pas l'armée ! « La droite, comme dirait David Grossman[1], n'a pas seulement vaincu la gauche, elle a vaincu Israël. » (Un temps.) Mon père, notre père, avait déjà perdu son père en Algérie, dans un pogrom. Aujourd'hui, il est raciste ! Il a une vraie terreur des Arabes ! Il est parti avec un coup de pied

1. David Grossman : grand écrivain et essayiste israélien. Lire, entre autres, *Tombé hors du temps*, Paris, Seuil, 2012.

au cul d'Algérie et il est persuadé que cela va recommencer en France ! Deux coups de pied au cul, ça commence à faire mal ! Je comprends. Mais je ne suis pas d'accord avec lui : ce n'est pas une raison pour virer raciste !

Ilana : L'Israélien moyen, lui aussi, il a peur de l'Arabe. C'est la vérité. Le reste, c'est de la propagande. Les gens, ici, sont guidés par la peur. Et c'est pour cela qu'ils votent toujours plus à droite. Tel-Aviv, c'est pas Israël. Et ce café de Tel-Aviv n'est pas un café d'Israël. C'est une enclave dans l'enclave, dans The Bubble[1]. C'est un refuge pour des gens comme Jonathan et moi ! Tu sais, je vote Meretz[2] : on s'est ramassé une gamelle la dernière fois. Jonathan, raconte à Serge ce qui t'est arrivé dans la colonie... En Territoire occupé...

Jonathan : Oui, je me suis fait traiter de « nazi » par des Français de là-bas ! Connards ! Les colonies, c'est n'importe quoi !

Moi : On m'a dit, là-bas, qu'elles étaient les « boucliers d'Israël »...

Jonathan : Tu parles d'un bouclier ! Il y a cinq soldats pour protéger un juif ! Et on se fait traiter de « nazi » si on leur dit la moindre chose qui a le malheur de leur déplaire ! Ils construisent sans arrêt des logements, ils sont inondés de fric américain ! C'est

1. The Bubble, « la Bulle ». Surnom donné à Tel-Aviv, dans le magnifique film éponyme de l'Israélien Eytan Fox.

2. Meretz (Énergie) : parti de gauche socialiste et laïc. Membre de l'Internationale socialiste.

tout. On a rien à faire dans les Territoires. La stratégie du gouvernement est folle. Elle ébranle ma foi en ce pays ! Les gars de « La Colline de Sion », un mouvement extrémiste d'ici, notre Daesh à nous, réclament un « empire juif ». Rien que ça ! Et ceci au nom de la religion, bien sûr ! Pour eux, on peut toujours s'étendre à l'infini, on peut encore tuer et brûler un bébé arabe dans l'incendie de sa maison ou poignarder des homos pendant la Gay Pride et, enfin, abattre au sol, de sang-froid, un terroriste déjà capturé et devenu inoffensif ! Sans oublier notre cher Bibi qui veut débusquer les ONG traitées de « taupes financées par l'étranger, collaborant avec l'ennemi palestinien » ! Tu parles ! Et lui, on lui demande d'où vient l'argent de ses campagnes ? Pas net, le Bibi ! Par ailleurs, sur le Web, tu ne peux pas imaginer la violence, les intimidations, les humiliations, les menaces, tout ce « shaming » contre les artistes, les intellectuels qui, au-delà des politiques de gauche, sont les cibles de la droite et de l'extrême droite ! Une vraie haine ! Pour eux, nous sommes des traîtres et des crapules !

Un temps. Encore un Coca, puis :

Ilana : Si tu réfléchis au judaïsme, à la base, on n'était pas supposés avoir une terre ! Je regrette le temps de la Diaspora qui a fécondé partout des intelligences et qui a contribué à tant de progrès dans le monde : Einstein, Marx, Freud, Kafka et tous les autres ! Devenir israélien, c'est quitter son judaïsme, c'est devenir un peuple sans lien avec son histoire qui est, qu'on le veuille ou non, celle de la Diaspora. Mon rêve est qu'on puisse vivre tous ensemble : cathos, musulmans, juifs, c'est mon rêve, oui, mon rêve !

Elle est émue. On rit. On applaudit. Elle feint de saluer. Tout le café s'y met : ovation dans le café « progressiste ».

*
* *

Shana Orlik applaudit aussi. Elle a vingt-cinq ou vingt-six ans. À peine. Elle a fait son alya, toute seule, il y a deux ans. C'est en passant, à l'université de Tel-Aviv, un master en « résolution de conflits et médiation », qu'elle est devenue sa propre médiatrice et a résolu son conflit interne : elle ne voulait plus rentrer en France ! Elle dit :

Shana : Je suis de gauche et fière de l'être. J'incarne une double minorité dans la communauté juive.

Moi : Être de gauche *et* fière de l'être ? Une minorité en Israël ?...

Shana : Mais non, être ashkénaze en France, et de gauche : deux bizarreries.

Moi : Bon...

Shana : Du coup, des gens comme moi font moins l'alya que les « sefs »[1]. Nous, on est hyper-assimilés en France. Contrairement à ceux d'Afrique du Nord, tous de droite, ou presque ! Je suis sidérée de voir la violence des Français arrivés ici. Quand on essaie d'amener la discussion sur autre chose que les

1. Sefs : abréviation pour « séfarades ».

questions sécuritaires, en leur parlant, par exemple, des problèmes sociaux que connaît Israël, on se fait immédiatement rembarrer ! Bibi, c'est leur idole ! En France, c'était Sarko ! De vrais « mecs » pour eux... C'est désespérant !

Moi : Pourquoi, étant une jeune femme « assimilée » – c'est toi qui t'es présentée comme ça ! –, as-tu tout de même quitté la France ?

Shana : J'en avais marre de, toujours, toujours, devoir défendre Israël ! J'avais le sentiment d'être une « porte-parole » officielle ! Alors, autant venir y vivre ! Mais, honnêtement, encore maintenant, je me sens plus française qu'israélienne. De toute façon, les juifs, en masse, quittent la France ! Fais un tour à Deauville ! Tous les appartements des juifs, et Dieu sait qu'il y en a là-bas, sont mis en vente, car ils veulent acheter ici. Mais il y a un *hic* : ça se vend mal ! Donc, les appartements sont vides à Deauville, comme à Tel-Aviv, où les mêmes juifs français achètent, mais, souvent, ne vivent pas ! En tout cas, pas tout le temps ! Deux villes aux immeubles peuplés de fantômes qui devraient se jumeler : Tel-Aviv et Deauville !

Moi : Tu exagères ! Allez, on se marre un peu ! Quel est le seul endroit au monde où les juifs jettent l'argent par les fenêtres ?

Shana : J'sais pas !

Moi : Le péage sur l'autoroute pour aller à Deauville, pardi !

Shana : Ah, ah, ah !

On va passer à autre chose. Mais pas immédiatement. Je continue dans la blague (archi-)connue !

Moi : Tu sais quelle est la station de métro préférée des mères juives ? (Un temps, pour l'effet, puis...) « Monge »... Parce que « Monge, mon fils, Monge... »

Shana : Ah, ah, ah !

Moi : Bon... Les start-up, pourquoi y en a tant ?

Shana : C'est à cause des fameuses mères juives ! À force de répéter aux garçons qu'ils sont les meilleurs et les plus beaux, ils le deviennent, bien obligés ! Avant, ils devaient tous être médecins ou avocats, maintenant ils doivent tous monter leurs start-up ! Pour plaire à leurs mamans !

Moi : Et qu'est-ce que disent les mères à leurs filles ?

Shana : « Marie-toi ! Vite. Et fais-nous des enfants ! Je veux assister, moi vivante, à la bar-mitsvah[1] des garçons ! » Toujours les garçons ! Pour la mienne, de mère, c'était la pire nouvelle au monde, que je monte mon entreprise ! Elle s'est hyper-inquiétée ! « Quoi, une fille, une "entreprise" ? Elle perd son temps pour le mariage ! » Incroyable mais vrai. Mais, sans blague, en France, j'aurais suivi les canaux traditionnels, sans me poser de questions ! Après mon master, j'aurais passé le concours de l'ONU ou du Quai d'Orsay ! C'est vrai, là-bas, j'étais dans la recherche du prestige, de la reconnaissance sociale ! Ici, pas du tout ! On regarde à peine les CV dans les entretiens d'embauche !

1. Bar-mitsvah : « communion ». Elle se fait à l'âge de treize ans, pour les garçons, comme une entrée dans la « vie religieuse ».

Ils te demandent surtout dans quelle unité tu as fait l'armée !

Moi : Justement, dans quelle unité tu as fait l'armée ?

Shana : Pas d'armée pour moi ! Ils m'ont oubliée ! Mais avec le gouvernement qu'on a en ce moment, je n'aurais pas aimé faire mon service ! Hors de question ! Même chose pour les Affaires étrangères : je n'aurais pas eu envie d'être fonctionnaire et de défendre la politique du pays ! Quand tu penses que l'armée israélienne, pour les juifs français, c'est le summum ! Et faire son service, pour eux, c'est carrément la béatitude ! Bon, j'ai pas fait l'armée, je ne suis pas fonctionnaire, il me reste ma start-up ! Comme les garçons ! Pas le choix ! Je m'en suis inventée une sur mesure ! « Relations internationales stratégie » ! C'est fou, comme en moins de soixante-dix ans, on est passés d'un pays si socialiste à un pays si libéral !

… Ce qui me donne espoir, c'est qu'il se crée ici des comuna, des sortes de kibboutzim urbains. Des gens qui vivent ensemble et mettent tous leurs salaires en commun sur un compte. À Haïfa, c'est très développé ! Il y a mille cinq cents personnes, à peu près, qui sont adeptes de ces comuna ! C'est une nouvelle société, mais elle n'est pas bêtement libérale ! Elle nous renvoie à l'Israël des origines, celui que j'aurais tellement aimé connaître ! OK, c'est encore marginal, mais voilà des gens qui ne sont pas étiquetés « rebelles », et qui pourtant refusent nettement les excès du libéralisme à l'israélienne et rêvent d'une société différente ! Tu vois, Serge, l'utopie n'est pas totalement morte ! Courage, mon vieux, l'Israël de ta génération est encore vivant ! Souviens-toi de la « révolte des tentes » pendant l'été 2011, en plein Printemps Arabe ! C'est vieux déjà ! On y croyait ! Tu l'as filmée, je crois[1] ! Une vraie révolte sociale et fraternelle. C'était beau ! Tel-Aviv avec des tentes partout sur le boulevard Rothschild, et des gens de tous les milieux, juifs et arabes, qui campaient là pour dire non. Non aux loyers trop chers ! Non au chômage ! Non à un monde cruel et barbare où la seule règle est la loi de la jungle ou celle de la guerre ! C'est pareil ! On se tue partout et pas seulement sur les champs de bataille ! On se tue aussi dans les bureaux lumineux et paysagers ! On se tue de faim. Et les enfants se tuent en errant dans les rues parce que leurs parents se tuent à ne pas pouvoir payer leur loyer ! Il faut qu'Israël renoue avec le rêve des fondateurs du pays : solidarité et fraternité.

Moi : Avec juste quelques start-up en plus… !

Shana : Oui, la mienne, par exemple. Pour épater la galerie ! Et j'ajoute pour terminer : « Vive Israël, tout de même ! »

Elle file. On s'embrasse. Chaleureusement. Nouveaux applaudissements dans le café progressiste !

---

1. Exact ! Bravo ! Dans un documentaire nommé *Méditerranéennes – 1 001 combats*, tourné en Israël, Égypte, Tunisie, Espagne…

J'ai juste deux ans de plus qu'Israël. Le pays a le temps de nous étonner encore. Il a, selon la Bible, l'éternité pour lui. Pas moi. Alors, je file à mon tour.

*
* *

Yann vit à Jérusalem au cœur des anciens, vénérables et si calmes quartiers Ouest, loin, si loin de Tel-Aviv, la luxuriante, la séculière. Il est arrivé en Israël le premier jour d'une des guerres de Gaza. Celle de 2008, de 2012 ou de 2015 ? On a le choix. Un turbulent comité d'accueil lui a donc souhaité la bienvenue.

– Oui, quelle arrivée ! C'était en 2012... Quoi qu'il en soit, il y a trois ans, j'ai rencontré celui qui est devenu mon conjoint. Un Israélien. J'ai donc eu une mobilité scientifique et une alya amoureuse. Il est architecte et on vit tous les deux ici, dans cette maison, avec ses enfants dont il partage la garde avec son ex-femme. Si t'es pédé dans la bonne ethnie (pas trop arabe ni trop séfarade...), il n'y a pas de problème en Israël, même si tu vis à Jérusalem où 40 % de la population est hyper-religieuse et malgré cette horreur du fou qui a poignardé six d'entre nous, pas loin d'ici, pendant la Gay Pride de 2015[1]. On est le seul pays du

---

1. Cette année 2016, l'immense Gay Pride s'est déroulée sans le moindre incident. De la joie. De la bonne humeur. Seul l'ex-grand rabbin de France, Haïm Sitruk, a déclaré : « La Torah qualifie l'homosexualité d'abomination et la considère comme un échec de l'humanité. Israël, par cette manifestation, se trouve rabaissé au rang le plus vil. C'est la morale même du peuple juif qui est en jeu. Il n'y a pas de

Moyen-Orient qui tolère et légifère sur l'homosexualité. C'est un fait. L'adoption pour les couples gays, ici, existe depuis longtemps, comme le PACS ! Le mariage gay sera la prochaine révolution. Ça viendra. Y compris pour les Arabes israéliens. Il y a d'ailleurs beaucoup d'histoires d'amour entre pédés juifs et arabes.

– Sans blague ?

– Bien sûr, sans blague !

– Comment vis-tu ici ?

– Je suis toujours rattaché au CNRS[1] français. Quand on fait son alya, on se doit d'être fortement sioniste, c'est quasiment une obligation. Moi, je suis un juif vivant ici, c'est tout. Dans le discours des juifs français qui m'entourent et qui sont montés en Israël, il y a toujours quelque chose de performatif !...

– Tu veux dire quoi, par « performatif » ?

– « On a *bien fait* de » « On a été "obligés" de partir parce que... La vie est si dangereuse en France... On avait "si peur" », etc. Ils parlent comme s'il fallait, à tout prix, vous persuader, après s'être persuadés eux-mêmes, de la pertinence et de la nécessité de leur choix ! Même chez le coiffeur à Jérusalem, le mec m'a dit : « Tu es juif... Tu viens de France ? C'est hyper dangereux, la France, hein ? » J'en peux plus, de ce discours ! Alors, je lui ai

---

mot assez fort pour le crier. » (C'est fait.) L'ex-grand rabbin a continué : « Je n'hésite pas à qualifier cette initiative [la Gay Pride] d'extermination morale du peuple juif. » (C'est dit.)

1. Centre national de la recherche scientifique.

répondu : « À ma connaissance, et jusqu'à nouvel ordre, il n'y a pas de roquettes qui tombent sur Paris... » Il était cloué ! Ici, il y a une énorme propagande d'État en faveur de l'alya française. Forcément ! Faut comprendre Bibi et ses copains : la France est le dernier réservoir important de juifs dans le monde ! Alors, il y a un French bashing très important. La télé israélienne, par exemple, nous présente toujours la France comme un pays absolument perdu pour nos coreligionnaires ! Ça m'insupporte ! La France est-elle consciente qu'elle est en train de perdre ses juifs ? Quel échec ! Vous savez, je suis, au CNRS, spécialiste de l'émigration...

– Ah ?

– Oui... J'avais donné des cours en prison à des ados. C'était dans la banlieue lyonnaise. Ils étaient obsédés par les juifs : « Monsieur, est-ce que c'est vrai que c'est écrit dans la Bible que quand un juif encule un Arabe, il va au paradis ? » Des trucs comme ça ! Une folie ! S'ils avaient su que j'étais juif et pédé ! Plus sérieusement, je me suis aperçu que ces gamins faisaient partie de la bande qui avait torturé Ilan Halimi. Ça m'a glacé le sang ! Et puis, je n'en peux plus de la manière binaire – « ami/ennemi » – dont on a tendance à juger l'« autre » et sa religion ! Au nom de son identité !

– La fameuse « identité » !

– Ras-le-bol de l'identité ! Ça étouffe. On n'en peut plus de l'identité ! Moi, je vis ici « amoureusement »... C'est la meilleure façon de survivre tant la société israélienne est difficile, avec sa culture de l'affrontement permanent. C'est épuisant. Ça s'engueule tout le temps pour tout. Il faut toujours négocier. On y passe un temps fou ! Je te donne un exemple : une location d'appart, *a priori*, c'est simple ? Eh bien, non ! On peut à chaque instant te virer, les baux sont hallucinants, il faut payer douze mois d'avance de loyer ! Mon conjoint discute constamment, il parlemente et négocie, de l'assurance à la banque, en passant même par la poste ! Et les salaires sont catastrophiques. Tout est cher. Et on n'a pas de droits sociaux, ou presque. Autre chose : une fois, je me suis amusé à répondre à un type qui voulait en savoir plus sur moi que je n'étais pas juif, juste pour voir ! Eh bien, dans ce cas-là, si tu n'es pas juif et que tu vis ici, c'est que tu complotes forcément un sale truc contre l'État ! Tu fais partie de la fameuse « cinquième colonne »… Tu dois être, à coup sûr, un journaliste de gauche, ou, pire encore, un humanitaire, un membre d'une ONG, forcément « pro-palestinienne » ! Le *shaming*, tu as entendu parler de ce concert permanent d'intimidations et d'humiliations, accompagnées d'insultes et de menaces, contre les artistes, les écrivains, les « intellos » et les personnalités de gauche ? Ras-le-bol !

Un temps…

– Il est clair que la dialectique de l'alya est la même que celle du Front national : tu te souviens de leur affiche sur la France « Aimez-la ou quittez-la » ? Eh bien, ça donnerait, traduit en hébreu « Israël, tu l'aimes, tu dois venir y vivre ! » ou « Si t'es juif, tu dois faire ton alya ! » Pourquoi voulez-vous que le discours ultra-nationaliste d'ici soit différent du discours ultra-nationaliste de là-bas ? Pour le FN, c'est : « Le juif (ou l'Arabe) doit partir. » Pour Israël, c'est : « Le juif (pas l'Arabe !) doit venir ! » Ça se complète. Il faudrait pouvoir penser l'émigration comme une circulation. Avec la liberté qui va avec, et pour tous les êtres humains. Mon statut génial d'« expatrié » s'arrête dans trois ans, mais je vais rester ici avec mon amoureux. Ma sœur, gaucho, est traumatisée par ma vraie-fausse alya, et refuse de venir me voir. Ma mère et mon père sont vite repartis : ils ne comprennent pas ce que je fais dans ce pays. Aucun des miens ne prendra ma suite en Israël. Tant pis. Tiens, on sonne, voilà mon mec.

Il arrive. Il est beau, parole d'hétéro. Ces deux-là s'aiment et semblent très heureux. « Heureux, comme des homos en Israël ! » dit un « vieux » proverbe inventé par je ne sais qui pour je ne sais quelle circonstance. En tout cas, il ne s'agit pas du rabbin Yigal Levinstein, qui traita les homosexuels de « pervers » et déclara lors d'une conférence de presse, juste avant la Gay Pride de 2016 : « Il existe chez nous un mouvement insensé dont les membres ont abandonné la normalité de la vie [...]. Ce groupe rend le pays fou et a pénétré de toute sa puissance les forces armées et personne n'ose rien dire ou s'élever contre lui ! » Et deux cent cinquante de ses collègues rabbins ont manifesté leur soutien à ce texte « fondateur » ! Le « vrai-faux » proverbe n'a pas non plus, à mon avis, été inventé par le maire de Jérusalem, Nir Barkat, qui a, bien sûr (!), refusé de participer à la parade afin, a-t-il précisé, de « ne pas heurter » le camp du parti « national religieux » et les ultra-orthodoxes... Voilà, c'est clair. Bref, « heureux comme un homosexuel en Israël » ?... Pas gagné. À Tel-Aviv, The Bubble, peut-être, mais sûrement pas à Jérusalem où, pourtant, vingt-cinq mille hommes et femmes ont défilé au cœur de la Ville sainte et ont rendu hommage aux victimes poignardées de l'intolérance et, en particulier, à la jeune fille de seize ans décédée, Shira Banki.

Start-up

Tous français. Sophie, la boss, est arrivée il y a vingt ans, Greg, il y a dix ans, Sarah, huit ans. Tous français de France et tous dans la « com ». Leur agence, « inspirée et inspirante », se nomme « 1948 », année de naissance de l'État d'Israël, « le plus beau pays du monde », et la plus belle des « start-up-nation », précisent-ils avec une fierté non dissimulée.

La raison d'être et le métier de « 1948 » : aider les entrepreneurs français, ayant fait leur alya, à adapter leur communication et à faire le « buzz » autour de leurs produits. Car ici...

Sophie : Ici tout est différent ! Nous, on maîtrise bien les codes. Tel-Aviv, par exemple, illustre parfaitement notre propos : c'est un mélange de style mi-européen, mi-américain, avec, en plus, l'humour israélien. On analyse les pubs. On les décrypte pour nos clients. Et on leur propose d'ajuster au mieux leur propre com.

Sarah : Je suis de Strasbourg. J'ai fait HEC, et je suis tombée amoureuse du dynamisme d'Israël : aller d'idée en idée, toujours. Et rebondir. Ici, on ne redoute pas l'échec, car il fait avancer. Chaque Israélien est impliqué dans plusieurs projets – professionnels, caritatifs, personnels. Ça bouge. Il y a un mot d'ordre capital en Israël : « Avoir du culot. » Un autre : « On ne va pas y aller par quatre chemins ! »

Moi : Et ta vie ? Comment va-t-elle ? Le travail ?

Sarah : Easy ! Pour trouver un job, pas la peine d'une longue lettre de motivation et tout le bazar, avec CV et mail de quatre pages ! Ma sœur a fait sa demande « à la française », et elle a reçu un mail de réponse sur lequel il y avait juste écrit : « OK. » Comme je te le disais, « on n'y va pas par quatre chemins » ! Pas de temps perdu. C'est OK ou pas. Ça ne traîne pas. L'esprit « start-up » oblige ! C'est le triomphe d'un système libéral rapide et efficace !

Sophie : Moi, je dis aux Français qui débarquent qu'ils peuvent toujours travailler « à la française », mais qu'ils risquent fort, dans ce cas-là, de se planter ! Ça s'apprend vite quand on a l'humilité nécessaire, vertu qui manque beaucoup aux olim français ! Il faut le vouloir, c'est tout ! On embauche *vite*, on se sépare *vite*, et si ça ne marche pas, on cherche *vite* un autre boulot ! Basta ! Il y a trop de gens ici qui font leur alya sans la faire !

Moi : ???

Sophie : Oui… Juste pour avoir leurs papiers (ça les arrange) ou pour des raisons fiscales ! Ça les arrange aussi… !

Greg (qui préfère changer de sujet) : Ici, on a le culte du rendement. En France, on n'est pas productifs. On passe son temps à râler ! Et à se perdre dans des discutailleries sans fin. On a la « réunionite » aiguë et très inutile !

Moi (à Sophie) : Quand as-tu découvert Israël ?

Sophie : J'avais huit ans. Avec mes parents, on est allés au mémorial de Yad Vashem[1], puis au Kotel… Bouleversée, j'ai dit à ma mère en pleurnichant : « Je veux habiter en Israël ! Presque tous ces gens qui sont morts n'avaient pas de pays, il y en a un maintenant ! Faut venir ! » À partir de ce moment-là, ça a été le but de ma vie. Tous les ans, au retour des vacances passées ici, je jetais mon passeport dans la benne à ordures, et mon père, le pauvre, le faisait refaire ! À dix-huit ans, hop, j'ai décidé de partir. Mais j'étais encore trop jeune. Je suis rentrée en France finir mes études. Et je suis revenue à vingt-huit ans. Définitivement. En arrivant, c'était un jeudi, à l'aéroport, j'ai téléphoné au P-DG d'une boîte de conseil en finance

---

1. Le mémorial de Yad Vashem a été construit en mémoire des victimes juives de la Shoah. Le lieu est absolument bouleversant. Bâti sur le mont du Souvenir, à huit cents mètres d'altitude, il domine Jérusalem. On ne peut s'empêcher de passer là-bas sans être très ému par la prophétie d'Isaïe (56-5) : « Et je leur donnerai dans ma maison et dans mes murs une place (Yad) et un nom (Shem) qui ne seront jamais effacés. » Oui, les disparus retrouvent là-bas noms et visages…

dont j'avais le contact. Il m'a donné rendez-vous pour le lendemain. Ça a « feeté » entre nous ! Je ne lui ai pas demandé de salaire. Juste un bureau et une secrétaire. Et j'ai commencé le dimanche suivant. J'ai tout de suite compris que je ne m'intégrerais jamais si je fréquentais uniquement les milieux francophones. J'ai voulu plonger dans cette société qui allait être la mienne. Et ce fut une grande histoire d'amour avec Israël. J'adore toujours Paris, la ville, mais je n'ai plus de lien sentimental avec la France. Plus rien n'est comme avant en France. La voix juive n'a plus de portée. La communauté, à part raser les murs et se ghettoïser, n'a pas d'avenir. C'est la désinformation permanente sur Israël. Hier encore, j'ai vu à la télé, c'était sur France 2 ou TF1, je ne sais plus… Ils disaient : « Un Palestinien échappe au lynchage à Tel-Aviv ! » Ils ont laissé s'écouler un petit temps. Puis ils ont, tout de même, ajouté que c'était : « Après avoir commis une tentative d'attentat. » Merci de la précision. J'ai mis six ans à prendre ma nationalité. Je l'ai fait le jour où j'ai dit spontanément : « Je suis israélienne. » Puis, je n'ai pas voulu voter avant d'être la maman d'un enfant israélien. Je ne m'en sentais pas le droit car je n'avais pas fait l'armée ! Mon fils, maintenant, part à l'armée. Alors, oui, je vote !

Sarah : Une « histoire d'amour » avec Israël, c'est vraiment ça !… Il en faut, de l'amour, pour supporter les sirènes d'alarme, les attentats et le reste. L'échelle des valeurs, ici, est plus vraie. Sans hiérarchie ni chichis. On n'en a ni le temps ni le goût. On fait l'armée, on fait la guerre, on voit la mort de près et on connaît le prix de la vie. Je participe à l'histoire avec un grand « H » en vivant ici.

Sophie : Oui, pas de chichis, comme dit Sarah. Je me suis mariée avec un Israélien. Je vous confirme qu'ils sont très directs : il a demandé mon numéro de téléphone dans une soirée sans même avoir préalablement échangé une parole avec moi. Pas de drague. Pas de temps perdu. Et moins de blablas et de manières. Pour le sexe, ça va plus vite aussi. Nous, les Français, on a un peu de mal avec ça. D'ailleurs, j'ai divorcé. Maintenant, je suis avec un Parisien. Mais, problème, il vit toujours là-bas, alors je fais des allers-retours permanents. Comme beaucoup de monde…

Greg : Moi, je viens de Marseille. J'ai découvert Israël, pour la première fois, tout gamin ! Un premier souvenir ? On était en voiture avec mes grands-parents. Un type, derrière nous, klaxonnait sans cesse. Il voulait qu'on aille plus vite. Mon grand-père était affolé. Ma mémé hurlait de peur. On est tombés en panne. Le mec chiant est passé devant nous. Il s'est arrêté. Et a appelé la dépanneuse pour nous. En plus, il a attendu avec nous son arrivée, juste pour nous aider. J'ai compris à ce moment-là ce qu'était la solidarité israélienne ! On ne laisse jamais tomber personne, même si on s'est engueulés juste avant comme du poisson pourri, ce qui nous était arrivé avec ce type qui nous avait persécutés en bagnole ! J'avais une boîte en France qui marchait bien, mais je l'ai fermée. Et je me suis installé ici à trente ans.

Moi : C'était plutôt courageux, comme choix, de tout quitter, non ?

Greg : Ouais… Je voulais que mes enfants fassent leur armée ici ! J'en suis très fier. Parfois, c'est vrai, j'ai un peu la « nostalge » de la France… On était, à la maison, hyper-patriotes français ! Chez ce grand résistant que fut mon grand-père, le « décret Crémieux » datant de 1870[1], qui accordait la nationalité française aux juifs d'Algérie, était accroché dans la salle à manger. Et puis on se levait de table et on se mettait au garde-à-vous lorsqu'il y avait *La Marseillaise* à la télé ! Le pauvre est mort, il y a longtemps, enterré dans un cimetière en France… Loin…

Un temps. Celui de l'émotion.

Moi : Tu es croyant ?

Greg : Dieu ?… Le Dieu d'Israël ? Pas un Dieu « vengeur », comme on dit, non ! Plutôt un Dieu « testeur »… Oui, il nous teste sans cesse depuis Moïse et le mont Sinaï ! Mais on peut négocier avec lui. C'est ce que je fais. C'est ce que nous faisons, avec un bel ensemble, depuis la sortie d'Égypte !

Sophie et Sarah : Nous aussi ! On négocie sec ! Avec tout. Et tous.

1. … et qui fut « abrogé » par Pétain, « chef de l'État français », en 1940.

Autres négociateurs : Un peu plus loin, toujours à Tel-Aviv, mais du côté de la rue Kirschman, tout près de la mer et de la plage dite « des Français ». Voici Deborah et Emmanuel. Ils se définissent, eux, comme des « spécialistes du wedding planning ». Plus simplement, ils organisent des cérémonies de noces pour les juifs français, qui se marient à tour de bras en Israël, si j'en crois l'heureuse santé de leur petite entreprise nommée, évidemment, « Just Perfect ».

Deborah : C'est moi qui ai eu l'idée depuis la France. Je me suis dit : « J'irai en Israël, et je m'occuperai de mariages en tous genres. »

Emmanuel : Une idée géniale, tombée au bon moment : les Français commençaient à se marier en Israël et on a eu une clientèle de plus en plus importante. On fait aussi les bar-mitsvot et bat-mitsvot[1] ! On s'occupe de tout, organisation, coordination, on suit l'événement jusqu'au jour « J ». C'est un travail qui demande beaucoup d'implication personnelle. On réalise les rêves des gens. Trois cents mariages, célébrés en Israël, à notre actif ! Quelques milliers de paquets de mouchoirs – pour les larmes de joie – distribués à nos mariés – et à leurs familles – et plus d'un million de sourires immortalisés par notre équipe de photographes !

Deborah : On a une dimension très « psy » ! On écoute. On interprète. On facilite. Nous sommes le

1. Même cérémonie que la bar-mitsvah, mais pour les filles.

remède idéal à l'angoisse de l'inconnu. On répond à toutes les demandes et à toutes les questions ! Ils viennent, ils ne parlent pas la langue, ils ne connaissent pas les prestataires. Alors, ils paniquent. On les calme. On anticipe leurs désirs.

Emmanuel : 90 % d'entre eux sont des touristes qui veulent de tout leur cœur se marier en Israël, et qui font venir, pour l'occasion, tous leurs invités de l'étranger. Parfois, ils affrètent même des avions ! Les festivités durent une semaine en général.

Moi (finement) : Pourquoi veulent-ils se marier en Israël ?

Eux (dans le désordre) :

1) Par sionisme ;

2) Parce que c'est moins cher ;

3) Parce que ce sont des vacances, en plus du mariage ;

4) Parce que, comme ils ne vivent pas en Israël, au moins, ils s'y marient…

Moi : Vous ressentez l'arrivée massive des Français, ces derniers temps ?

Deborah : Bien sûr ! Dans l'école des garçons, sur trois cent vingt élèves, cinquante enfants français sont arrivés cette année ! Et dans la classe de ma fille, il y a huit Français sur vingt et un élèves ! Et ils deviennent très vite des « enfants rois », comme tous leurs petits copains israéliens !

Emmanuel : La mentalité ici est différente de celle de la France ! Les Israéliens profitent plus de la vie. Tout peut arriver. La guerre, les attentats, ça te change en profondeur ! Alors ils font des fêtes pour tout et n'importe quoi ! Et ces fêtes sont payées avec l'argent des cadeaux. Ce sont les invités qui paient la noce ! À l'israélienne ! Il y a, au moins, cinq cents à six cents personnes. Ils ne s'habillent pas spécialement. Ils viennent pour boire et manger. Les jeunes restent tard. Les parents partent tôt.

Moi : Ça coûte combien à peu près, ici, une noce ?

Deborah : Prix moyen, cinquante mille euros rien que pour la fête ! C'est vraiment moins cher qu'en France où c'est, en moyenne, soixante-dix mille euros…

Emmanuel : Souvent, les familles se partagent les frais ! Et nous, côté « psy », on doit toujours arranger les choses entre tout ce petit monde ! Ce qui ne coule pas toujours de source !… C'est plus difficile de négocier avec une maman juive qu'avec un terroriste !

Deborah : On a chacun nos clients. Les juifs marocains préfèrent parler avec un homme, donc Emmanuel…

Emmanuel : Et pour les Tunisiens, c'est Deborah. Ils kiffent plus les femmes !

Deborah : Les ashkénazes, c'est pas pareil. Ils ont tout le poids du monde sur les épaules. Un côté plus grave, soucieux. Vous connaissez la blague : « Vous savez pourquoi, quand les "ashkés" ont mal à la tête, ils ne prennent pas d'aspirine ?… Parce que ça pourrait les soulager ! »

Moi : Ah, ah, ah !

Deborah : Non, c'est vrai, ils ont l'air souvent graves, soucieux. « Shoatiques » ! Vous ne les verrez jamais complètement bourrés. Les séfarades se marrent plus, Dieu merci !

Emmanuel : Oui !... La fête est plus... festive ! J'ajoute qu'il y a une différence entre les ashkénazes européens et les ashkénazes israéliens. Ceux d'ici, c'est l'« élite du pays » ! Ils savent que vous savez qu'ils ont de l'argent, mais ils veulent surtout vous montrer leur « classe ». C'est l'aristocratie ! Beaucoup des mariages que « Just Perfect » a « commis » se prolongent par des alyot. Comme si la noce était une sorte de « repérage ». Les tourtereaux et leurs parents – je pense, en premier lieu, à leurs mamans ! – ont aimé l'ambiance, l'orchestre, les promenades à chameau dans le Néguev ou les cavalcades en bord de mer. Alors, mariage, puis éventuelle et fréquente future alya. Les enfants qui viendront au monde seront israéliens dès leur naissance ! C'est leur rêve. Nous, on en réalise une grande partie, la première ! Pour leur bonheur.

Moi : Mazel tov !

Les enfants de l'alya…

J'ai rendez-vous avec Olivier Tedde, principal du collège Marc-Chagall à Tel-Aviv. Un collège français, de belle renommée, où vont souvent les enfants de l'alya entre trois et onze ans, soit de la petite maternelle à la sixième. Nous sommes au cœur de Neve Tsedek. C'est le quartier le plus ancien (1909) de la ville juive qui est, comme on le sait (?), l'excroissance, hors les murs, de l'antique Jaffa, dite « la fiancée de la mer ». Neve Tsedek, c'est chic, très chic. Là se côtoient Tel-Aviviens friqués, bobos de cœur et d'esprit et/ou artistes pas maudits du tout. Neve Tsedek, « oasis de justice » comme son nom hébreu l'indique, mais surtout oasis de calme : ruelles étroites, maisons basses et secrètes aux rares couleurs ocre. Le tout au cœur de cette « Bulle » agitée qu'est Tel Aviv qui, dit-on, ne dort jamais. Olivier m'explique :

– Il y a deux sortes de populations parmi les Français juifs qui arrivent ici : ceux qui envoient leurs enfants au collège, chez nous, afin qu'ils poursuivent leurs études dans le système français pour se réserver la possibilité d'un retour en France. Et ceux qui mettent immédiatement leur progéniture au collège israélien et favorisent donc leur intégration le plus rapidement possible. Ceux-là veulent rester. C'est une alya sans retour, en tout cas prévu. Ou même envisagé. Cette année, nous avons eu 18 % d'élèves de plus que l'an passé. Beaucoup de gens s'installent ici en raison des difficultés de la situation économique française, en pensant que fonder une boîte en Israël est beaucoup plus facile qu'en France. Certains, et ils sont nombreux, déchantent à l'épreuve de la réalité et beaucoup, d'ailleurs, pendant un an ou deux, pratiquent l'alya-Boeing. Très souvent, la mère reste ici, monte une petite entreprise, et le père garde la sienne en cette France qu'ils étaient censés quitter. Ensuite, un grand nombre d'entre eux repartent. Retour ou « descente », laquelle peut être définitive ou pas. Les enfants sont donc trimballés, déchirés parfois, entre leur père et leur mère, et entre les deux pays. L'alya, en forte augmentation, définitive ou faite d'allers-retours, réveille dans les familles des tensions et des angoisses lourdes... Partir, changer de vie, parfois tout recommencer à zéro. Qu'en pensent, au fond d'eux-mêmes, les jeunes adolescents ? Le mari et la femme sont-ils absolument en phase ? Autant de questions et de questionnements. Quant aux familles israéliennes dont les enfants font leur scolarité dans nos établissements, qui relèvent de l'Éducation nationale française, elles sont financièrement aisées, plutôt de gauche et intellectuellement avancées. Notre enseignement est payant. Mais pas trop cher : quatre mille euros par an. Nous voulons aussi intégrer nos gamins à la vie israélienne. C'est notre but. Ainsi, nous ne travaillerons plus ni le vendredi, ni le samedi, mais nous ferons cours le dimanche, comme tout le monde. Et comme tous les collèges et lycées d'Israël. À Chagall, nous allons, vous le savez, du primaire à la fin de la sixième. Nous avons, d'ailleurs, créé une section française au sein d'un lycée israélien de l'Alliance israélite universelle. Nous avons aussi, le tout nouveau collège Mikvé-Israël (Espoir d'Israël), à Holon, où iront, après être passés chez nous, la majorité de nos élèves. Là, on prépare à la fois au bac israélien et au bac français ! Nous travaillons également, main dans la main, avec le collège des Frères de Jaffa, un établissement religieux catholique, qui accueille indistinctement petits enfants musulmans, juifs et chrétiens. C'est un lieu de fusion, de rencontres et de dialogue. Il y a des cours d'éducation religieuse dont le but est : « J'apprends *ta* religion sans crainte ! » De nombreuses familles demandent d'ailleurs à ce qu'il y ait, ici, dans ce collège, une éducation religieuse : pas question ! Nous sommes un établissement laïc, appartenant à une République laïque. Certains papas enlèvent leurs kippas avant de déposer leurs enfants et la remettent ensuite. Un peu triste, mais normal : c'est la règle.

– Dans quel état arrivent les nouveaux émigrants de France… ?

– Je suis le seul non-juif de l'établissement… J'écoute. J'entends. Pour certains, venir ici, ce peut être un échec par rapport à la France. C'est, aussi, ne pas avoir réussi à rester ! Ils ont souvent, en plus, le sentiment de ne pas avoir été assez protégés dans leur pays d'origine, mais moi, honnêtement, je n'ai pas l'impression que la situation des juifs de France soit si catastrophique ! Quelques-uns des parents que je connais très bien admettent, en confidence, qu'ils ont fui en exagérant le danger amplifié par les médias communautaires ! Ceux-ci les enjoignent de partir parce que l'Europe, disent-ils, « s'islamise » ! Le rôle du CRIF, aussi, est ambigu. Il n'aide pas les juifs à rester en France. Une maman m'en parlait : quand elle retourne à Paris, elle se sent clivée, déchirée entre son statut de française et son identité juive. C'est terrible, cette histoire de « problème identitaire ». On ne parle que de ça ! Être un citoyen du monde devient de plus en plus difficile, vous ne trouvez pas, Serge ?

– Oh, oui !

– Allez voir nos enfants… Faites-les parler. Ils sont chouettes. Très.

– Merci beaucoup, Olivier !

Je suis maintenant entouré d'élèves tout à fait pagailleux. Après un petit temps de feinte timidité ou d'observation, je tente de dégeler l'atmosphère. Une fillette, en français, m'attaque. Un Scud, ou plutôt une roquette :

Orlane : Je n'aime pas les Israéliens. Ils sont mal élevés. Et la nourriture est meilleure en France.

Leny : Pas vrai. J'adore Israël. Il y a la plage et à Paris, non. En Israël, il fait beau, et à Paris, non. C'est pour ça que mes parents ont voulu venir.

Moi : Juste pour ça ?

Leny : Aussi parce qu'on habitait près de l'Hyper Cacher. Ils ont eu les chocottes. Ma maman, elle a trente-deux ans, mon papa trente-six. Lui, il va tous les mois une semaine à Paris pour son travail. Il vend des trucs pour être beau et tout, des… Non, des… cosmétiques ! C'est ça…

Idam : J'aime bien Israël. Mais il fait un peu trop beau : je préfère la pluie.

Moi : Ça alors !!!

Idam : Eh oui. On a fait plein d'allers-retours. J'ai six ans. En Israël, mon papa fait rien mais en France, il était espion…

Moi : Carrément ? Espion ? (Rires.)

Lorène : J'ai onze ans. J'en aurai douze en août. J'aime bof Israël. Juste « bof » ! Si tu ne parles pas bien l'hébreu, tu es paumée ! Et ils font rien pour t'aider, les Israéliens ! Ils se moquent de toi !

Enzo (onze ans) : Mes parents sont partis à cause des attentats. Ici, c'est mieux ! Y'a un truc qui s'appelle « Dôme de fer » qui fait péter les roquettes avant qu'elles nous tombent dessus ! Y a pas ce machin-là en France !

Un autre (même âge) : Plus « sécurisé », ici ? Déconne pas ! N'importe quoi !

D'autres : Oui ! Oui ! Non ! Non !

Engueulade générale. Puis une motion de synthèse se fait jour grâce à Enzo :

– En Israël, il y a plus de technologie. Pas plus de sécurité, mais plus de technologie. Et puis, t'es obligé de faire l'armée, pas en France ! Ça rassure. N'importe qui sait se battre. Se servir d'une arme. Ou porter secours. Et même tuer un terroriste en cas d'attaque…

Une paix incertaine et provisoire suit cette assertion.

Capucine : En Israel, on est plus solidaires. En France, c'est chacun pour soi.

Sofia : C'est vrai, ici, ils sont plus gentils. Par exemple, un jour, je suis allée à la plage avec mon petit frère. Il avait un paquet de balles de tennis, elles sont tombées, eh bien, tout le monde l'a aidé à les ramasser !

Silence approbatif et admiratif. L'anecdote des balles tombées fascine l'auditoire.

Holon. Une ville de la banlieue sud, tout à fait collée à la grande Tel-Aviv. Je suis maintenant au superbe et nouveau lycée franco-israélien Mikvé-Israël, bâti sur les terres de la première école d'agriculture du pays par l'Alliance israélite, en 1870. Là, les élèves, une dizaine, sont plus grands, bien sûr. Tour de chauffe plutôt court, puis :

Elie : Je viens de Toulouse. On est plein de Toulousains, ici !

Sourire de connivence, bien sûr, de Laurie, Toulousaine itou !

Une prof (1) : Cent familles sont arrivées pendant l'été. 68 % d'augmentation. J'ai dix-neuf Toulousains sur quarante-huit élèves !

Pamela : Moi, je suis toute seule en Israël. Je suis interne. Je n'en pouvais plus, en France. Quand on habitait Marne-la-Vallée, ma grande sœur était tout le temps harcelée. On a déménagé. Mais ça n'a pas suffi. Là où on est allés, mes parents m'interdisaient de dire que j'étais juive !

Talula : C'est pas ma came, ici ! C'est pas mon délire ! Mes parents sont divorcés. Mon père en France. Ma mère ici... Qu'est-ce que je vais faire ? Papa me manque. Ma mère, elle, dit qu'en France, les juifs vont tous partir !

Un prof (2) : J'ai travaillé dans des ZEP et des cités pendant quinze ans ! J'ai vécu l'antisémitisme. J'ai eu des croix gammées sur mon carnet d'appel. J'ai camouflé ma judéité. Coup de chance, je me suis mariée avec un homme d'origine espagnole et j'ai pris son nom ! Mais ça n'a pas suffi... Moi aussi, je viens de Toulouse… Là-bas, certains de mes élèves ont refusé de faire la minute de silence après les assassinats de Merah. Et j'ai entendu dans ma classe : « Merah est notre héros ! Il n'a pas fini le boulot ! » Je ne reconnaissais plus la France que j'aimais.

Un prof (3) : Moi, mon problème ne vient pas des Arabes. Je me suis engueulé à cause d'Israël avec mes collègues de gauche, pourtant intelligents et cultivés. Engueulé fort ! Et trop souvent. Je n'en pouvais plus ; alors j'ai décidé de partir.

Léna : Il restera peut-être des juifs en France. Mais peu.

Un prof (4) : Il y a une logique de l'exil et de l'immigration. Quand une partie de la communauté se met en marche, tous suivent. Comment on dit « réflexe Pavlov » en hébreu ? Tous des moutons ! Panique à bord !

La toute jeune Talula se met à pleurer. Doucement.

Talula : Je suis trop seule ici. Ma famille a éclaté. Mon petit frère, qui a dix ans, est resté en France. Il me manque trop ! Là-bas, il ment tout le temps, il dit qu'il n'a pas de religion, qu'il est « athée » ! Il sait même pas ce que ça veut dire ! Pourquoi on se cache ? Pourquoi on est obligés de mentir sur tout ? Qu'est-ce qu'on a fait de mal ?

Moi : Rien, ma chérie, rien…

Les profs (ensemble) : Rien…

Un prof (2) : Tiens, c'est l'heure de la récré…

Moi : Mais je n'ai pas entendu de sonnerie ?

Une prof (1) : Il n'y en a pas. C'est pour ne pas confondre la sonnerie de la récré avec la sirène des alertes… On regarde nos montres, c'est plus sûr…

On se quitte. Les enfants sortent dans la cour en chahutant, comme il convient, que l'on soit en Israël ou à Gaza. Je les regarde, je leur souris. J'ai aimé ce moment tendre et émouvant. Si j'étais religieux, je prierais pour la paix, leur paix, leur avenir en ce pays que leurs parents ont choisi pour eux. Allez, une brève confession : je ne suis pas religieux, mais je suis, à ma façon, étrangement « croyant ». On me dit qu'ici, c'est banal, qu'on peut être, dans le judaïsme, croyant et pas pratiquant, pratiquant et pas croyant. Tant mieux pour moi. À onze ans, alors que je venais de perdre mes parents, je « priais » pour leur retour. Mais, surtout, je m'en prenais à Dieu, ce grand indifférent, après avoir tenté en vain de l'émouvoir et de lui complaire. Peine perdue, il avait d'autres enfants malheureux sur les bras. Tant pis. J'ai soixante-dix ans. Je continue à marmonner des sortes de prières lorsque je vois une lumière, des visages, des situations qui me bouleversent. Je chuchote. Comme si je Lui parlais. En français dans le texte. Et dans le cœur.

Soudain, je pense à un autre enfant. À un vieil enfant. Celui-ci a cent treize ans. Il est, selon le Guinness, le plus vieil homme de l'humanité. Yisrael Kristal a perdu tous les siens à Auschwitz. Tous. Sa vie et sa survie sont un formidable pied de nez et un immense bras d'honneur à tous les nazis du monde. Il prie tous les matins. Maintenant, à Haïfa, en Israël, il veut célébrer sa bar-mitsvah avec juste un siècle de retard et être comme tous les enfants juifs. Bonne fête, monsieur Kristal.

Escapade du bord de mer

Tel-Aviv. Comme on dit ici : « Je n'y vais pas par quatre chemins ». Me voici donc sur la plage dite « des Français » (huit euros pour deux parasols et un transat !). Là, certains baigneurs semblent ou feignent de me reconnaître tant je tente, stupidement cabotin, d'attirer leurs regards. D'autres me prennent pour le bienheureux Yves Calvi, d'autres encore pour un ovni, né d'un croisement malheureux entre deux disparus : Jean-Pierre Coffe (la rondeur, les lunettes) et Richard Anthony (le côté séfarade).

Un certain M. Zenouda s'approche et se présente :

M. Zenouda : Moi je suis arrivé ici, j'avais trente-cinq ans, c'était en 1967. Faut dire la vérité !... Monsieur... ?

Moi : Moati !

M. Zenouda : Oui, bien sûr, pardon... En Israël, ils ne sont plus demandeurs d'alya ! Il y en a eu d'excellentes entre 1970 et 1980. Deux ou trois mille par an, ça allait ! Une alya intellectuelle, de très haut niveau ! Après, il y a eu le million de Russes. Ça suffit ! Ce n'est plus une priorité absolue pour les Israéliens de peupler le pays à n'importe quel prix ! Même moi, aujourd'hui, je préfère m'occuper de mes huit petits-enfants nés ici, dont certains sont au chômage et qui ont bien des difficultés, que de donner de l'argent aux olim ! Ce foutu « panier d'intégration » coûte, quand même, à l'État et donc à nous, un argent fou, pour des gens qui n'en ont même pas besoin ! Les juifs français sont quand même pas les juifs éthiopiens !

Un M. Sarfati, de Tunis, qui me prend donc, avec un peu de chance, pour qui je suis, continue :

M. Sarfati : On parle de l'alya fiscale ? Vous avez un million d'euros. Vous décidez de venir vivre en Israël et vous transférez cet argent. Vous ne paierez aucun impôt dessus à condition d'avoir, bien sûr, votre résidence fiscale ici. Et il n'y a rien de plus simple ! Il suffit juste de passer six mois et un jour en Israël par an, et pas même forcément de façon continue. Et on est peinard, tranquille ! Comme les juifs américains des casinos de Las Vegas, et les Russes juifs ou non juifs, mafieux ou pas. On est pas plus cons. Et si la France demande quoi que ce soit, Israël défend ses nationaux ! CQFD ! Compris, monsieur Moati ?

Yes. Le couple Zerbib rejoint le groupe :

Mme Zerbib : Le juif n'a plus de pays natal. Moi, je suis d'Algérie. On ne peut plus y aller. On n'a plus rien…

M. Zerbib : Quand on est arrivés ici, nous qui sommes de Tlemcen, on a rencontré d'anciens Tlemcenois. Les anciens de Tunis sont avec les anciens de Tunis, les anciens de Casa avec les Casablancais. Pareil pour les Oranais, les Soussiens, les Libyens, les Marseillais, et les... martiens ! Attention, je n'oublie pas que c'est grâce à la France qu'on est sortis de l'état de dhimmi, qui faisait de nous des citoyens de seconde zone dans les pays arabes ! La « dhimmitude », c'était raser les murs et se soumettre. Ça recommence, ces temps-ci, en France ! Un drame : une dhimmitude d'un autre genre ! Alors on est venus ici !

Julien (chemise blanche largement ouverte sur torse bronzé et grand Maguen David[1]) : Les Français, trop bling-bling ? C'est exact. Moi, le premier ! On claque le fric ! Vu la situation en France, on est arrivés comme des fous et on a acheté des apparts à n'importe quel prix et n'importe comment ! On a « blanchi », quoi ! Et alors ? C'est pas un crime !

Brusquement, on m'appelle. C'est Dov, un grand copain de Tunis, très drôle, qui, dit-on, arrive même à négocier avec une mère juive ! Il m'a retrouvé, je ne sais comment...

Dov : Ne les écoute pas, ceux-là ! Ils font rien que déconner ! Ils se foutent de ta gueule ! Viens avec moi, je vais t'expliquer la vie !

1. Maguen David : étoile de David. Littéralement, « bouclier de David ». « Le » symbole du judaïsme.

Il me prend à part. On marche au bord de la mer. Il me parle comme à un tout jeune enfant. Ça faisait longtemps que cela ne m'était pas arrivé.

Dov : Je reprends tout par le début. Les Israéliens commencent à ne plus aimer les Français qui « fuient » la France. Pour eux, c'est une mauvaise alya. Ils reçoivent de l'argent dès leur arrivée, et, malgré tout, ils râlent ! Et, en plus, ils font des petites ou grosses magouilles !

Moi : Lesquelles ?

Dov : Elles sont de trois types : il y a les arnaques au « Forex », celles sur la « taxe carbone », et les « arnaques au président ». Je sens dans tes yeux une vive lueur d'incompréhension ! Alors j'explique et je commence par le plus simple, celle du président. Les mecs se font passer pour des présidents de boîte qui demandent, par téléphone, à leurs employés de faire d'urgence des virements énormes pour payer, par exemple, une fusion-acquisition à l'étranger ! Disons à Singapour ! Et fissa, fissa, s'il vous plaît ! Le coquin et toute sa bande, ils savent prendre toutes les voix ! Ils connaissent par cœur les mécanismes des entreprises, leurs usages, les noms de leurs cadres dirigeants ! Ces petits coquins ont piqué des millions d'euros à trois cents grosses boîtes françaises ! Y en a même un, parmi ces types, qui s'est fait passer, récemment, pour Le Drian, oui, oui, le ministre de la Défense, il a demandé à un mec de son cabinet de l'argent, vite, à expédier sur un compte secret, pour sauver des otages ! Mais ça a foiré ! Les arnaqueurs ?

Tous français ! Et tous acteurs-nés ! On parle, tu m'écoutes bien, de milliards d'euros, au total, détournés et envolés !

Moi (rêveur) : Ça me paraît trop facile, mais bon, je te crois... Et c'est quoi, l'arnaque « au Forex » ?

Dov : Putain, t'es nul ! Le Forex, c'est le marché des changes sur lequel s'échangent, comme son nom l'indique, les différentes monnaies !... Il s'agit d'interventions « malignes » faites par de tout petits ou très grands escrocs israéliens, souvent à destination de nouveaux émigrants ! Des candides, très souvent paumés à leur arrivée ! Il s'agit de spéculer sur le marché mondial des devises. Voilà comment ça se passe : un jour, tu reçois un coup de fil, genre très sérieux, où l'on t'invite à investir et à investir encore sur tel ou tel truc, le cours du cuivre ou je ne sais pas quoi... On te dit que ça va être très rentable, juteux, pas trop risqué et rapide... Le cours monte... monte... On te fait rêver, on t'appâte... Tu peux gagner un peu au début, puis, un beau jour, ton contact a « le regret » de t'annoncer une mauvaise nouvelle, « c'est la faute à pas de chance » : le cours s'est effondré et tu as tout perdu !... Impossible alors de retrouver l'escroc ! Il a disparu ! Comme ton argent... Le nom qu'il t'avait donné était bidon et son téléphone est aux abonnés absents ! Introuvable, le mec ! Et ton fric perdu, c'est pour ta pomme !

Moi : Aïe !...

Dov : Tu l'as dit ! Y a aussi l'arnaque à la taxe carbone.

Moi : Je suis désolé, mais je ne connais pas !

Dov : Tu me fais marcher !... C'est pas possible ! Tu es con ou tu fais semblant ? Tu sais, tout de même, que chaque société doit payer de la taxe carbone en fonction de son taux de pollution. Celle qui ne pollue pas, la « vertueuse », on peut lui racheter sa non-pollution via des sociétés fictives et des comptes offshore basés en Lettonie, à Chypre ou à Hongkong, bref, est-ce que je sais, moi, bien planqués !... Puis on revend les taxes en France à un prix majoré de la TVA ! Mais en oubliant, bien sûr, au passage, de payer le fisc français ! Malin, non ? C'est ce que font ici les petits « Soprano » locaux de la mafia israélienne : ils achètent, ils revendent, puis ils disparaissent, eux, et leurs soi-disant sociétés ! C'est quand même simple, non ? En 2008 et 2009, le fisc français a été privé, le pauvre, de 1,7 milliard d'euros de recettes ! Ça va, tu as compris, non ?!

Moi : Pas franchement...

Dov : C'est une arnaque très originale, made in Israël ! Simple, non ?

Moi : Pas pour moi ! Pas « simple » du tout !

Dov : Tant pis ! Les types, presque tous des juifs tunisiens, des copains d'enfance à nous, mais plus malins, enfin que toi, ont donc détourné environ 5 milliards d'euros au niveau de l'Europe ! Et 50 au niveau mondial ! C'est ça qu'il faut que tu retiennes ! C'est « le casse du siècle », comme on dit ! Certes, parfois, y en a qui se font attraper comme Arnaud Mimram[1], ou qui se font flinguer comme Samy Souied, mort porte Maillot à Paris. Mais c'est le risque du métier ! Pigé ?

Je ne comprends rien. J'ai honte. Peut-être que certains de mes lecteurs roués et à l'esprit délié comprennent mieux que moi ce genre de mécanisme... ? Dans ce cas, qu'ils n'hésitent pas à joindre les éditions Stock à mon intention, celle d'un pauvre gars plongé dans les ténèbres de l'ignorance et tenu éloigné des turpitudes mafieuses, non par vertu, mais par incapacité génétique ou intellectuelle.

Dov : Ces juifs-là se sont cachés en Israël. Et pourquoi donc, gros bêta ? Parce qu'ici, il n'y a pas d'extradition ! Qui va les attraper ? Personne ! Les arnaques au président sont tout de même plus faciles à comprendre, n'est-ce pas, pour un type comme toi qui es un drôle de zigue, une sorte d'acteur aussi, avec ton front bas, et ton air faussement naïf !

Moi : Merci...

Dov : Il y a eu un film sur ces arnaques. Et sur l'arnaqueur en chef, Gilbert Chikli ! *Je compte sur vous*, il s'appelle le film ! Avec Vincent Elbaz et Julie Gayet ! Voilà ! Je t'en ai appris, des trucs, hein ?

Moi : Je ne sais comment te remercier !

Dov : Tu me doit un million d'euros.

---

1. Le susdit Arnaud Mimram, condamné par le tribunal français devant lequel il avait comparu, pour cette arnaque au CO_2, a déclaré qu'il aurait offert « environ un million d'euros » à Bibi Netanyahou afin de financer ses campagnes électorales à l'aube des années 2000...

Moi : J'en fais part à mon service comptable. Je les appelle. Ils te feront un versement illico presto.

Dov : Merci. Tu vois, ça vient ! « Je compte sur toi. »

Moi : Tu peux, pauvre cloche !

J'arrive en fin de journée chez un homme que toute la communauté juive de France connaît. Et pour cause, il fut longtemps président du FSJU[1]. Bienfaiteur et mécène, très efficace et talentueux homme d'affaires et, forcément, chaleureux, puisque d'origine tunisienne comme Dov, Pierre Besnaïnou habite à Herzliya Pituach, dans le Neuilly des Neuilly israéliens, une sublime villa futuriste au bord immédiat d'une mer qui roule au bas de sa propriété. Ce soir, c'est un dîner d'hommes, ce que je peux, par ailleurs, regretter.

Pierre me présente ses copains, on trinque. Et c'est parti sur l'alya des juifs de France alors que le soleil plonge pour une longue trempette et que les lumières du jardin prennent le relais.

Pierre : Mon histoire avec l'alya commence en 2001… On me signale des familles juives tout à fait

1. Fonds social juif unifié. Association créée en 1950 pour favoriser la reconstruction de la communauté juive de France après la Shoah. Pilier de la vie juive en France, le fonds subventionne deux cent quarante-cinq associations dans le champ du social, de la culture, des écoles, de la jeunesse et de la vie associative. Le FSJU est aujourd'hui présidé par Ariel Goldmann.

oubliées vivant dans une pauvreté inimaginable dans le sud de la Tunisie. Elles sont oubliées de tous et dans l'incapacité d'imaginer, même dans leurs rêves les plus fous, qu'elles peuvent faire leurs alyot, vu qu'elles ne savent même pas comment aller à l'aéroport de Tunis-Carthage. Elles sont finalement arrivées, fallait voir le spectacle, avec une seule valise pour toute une famille ! Et elles partaient vers l'Israël de toutes leurs prières, elles qui ne parlaient que le judéo-arabe de Tunisie, en plus de l'hébreu réservé aux fêtes, aux prières et aux rêves. Serge, je crois vraiment que ça ne veut rien dire, Israël, sans la dimension spirituelle : 80 % des gens qui viennent de France, pour ne pas dire 90 %, ont un grand niveau de pratique religieuse. C'était le cas de tous ceux que j'ai fait sortir de Tunisie et qui m'ont toujours fait pleurer, chaque fois qu'ils embrassaient à leur arrivée la Terre d'Israël. Tous les ans, on affrétait un avion. Des centaines d'hommes, de femmes et d'enfants sont montés en Israël. Et je leur faisais une alya sur mesure, adaptée à chacun. J'avais tout un ensemble d'aides pour les familles, pour lesquelles on payait, avec notre association l'AMI[1], le billet d'avion aller et le reste : recherche de boulot, logement, etc. L'AMI existe toujours et c'est Avi Zana, ici présent, qui la préside !

Moi (après avoir salué Avi) : Et maintenant, Pierre, qu'est-ce que tu fais en Israël ?

---

1. Acronyme d'Alya et Meilleure Intégration. Une mission, « La réussite de votre alya »…

Pierre : Business as usual ! Je suis entièrement axé sur le business. Et c'est très difficile parce que ce sont des sauvages ici ! J'ai commencé une nouvelle vie qui n'a plus rien à voir avec celle d'avant, qui était communautaire, sociale, vouée à l'aide et l'entraide. J'entreprends, j'aime ça, comme tu sais ! Oui, c'est vrai qu'il y a tout juste dix-neuf familles, en Israël, qui détiennent la réalité du pouvoir, mais il est quand même encore possible de faire fortune ! Dur, mais on y arrive ! Faire son alya n'est pas toujours une partie de plaisir ! Ça dépend de ton âge, de ton métier. Certains repartent. Il n'y a pas de chiffres officiels sur les retours, les « descentes », comme on dit ! Le pays est très policier. Quand tu émigres en Israël, tu perds ton identité et on te donne un numéro que tu apprends par cœur ! On ne te demande jamais ton nom, mais ton numéro d'identité. À partir du moment où tu viens, tu existes comme ça ! Moi, quand j'organisais les alyot, je leur donnais, en accord, bien sûr, avec le ministère de l'Intérieur, la carte d'identité israélienne dans l'avion. Ils partaient français et arrivaient israéliens ! Ici, tu es un citoyen. Avec un numéro unique. Tu peux changer aussi d'identité. Une nouvelle vie, un nouveau nom.

Avi : On sait exactement combien de personnes entrent dans le pays, mais on ne connaît pas vraiment les chiffres du retour. C'est lié à la vie moderne : un jour ici, un jour là. Plus Internet et les réseaux sociaux. On est dans une alya transnationale. L'alya-Boeing, c'est l'alya d'un monde entier qui bouge, va, revient, repart. La globalisation !

Rémy : Un jour, va voir à l'aéroport de Lod : ils repartent tous le lundi matin de bonne heure pour bosser en France, puis ils reprendront à Roissy l'avion du retour, le jeudi soir d'après, pour revenir passer le shabbat ici, à la maison.

Philippe : Moi, je fais l'inverse. Je reste en Israël toute la semaine, et je rentre en France le week-end, parce que ma femme ne veut pas venir habiter ici ! Ça manque, selon elle, d'« art de vivre » ! Bon, il faut juste s'y faire… Exemple : si tu n'entres pas dans une administration en hurlant sur le type derrière le guichet, tu es mal barré ! Il faut crier tout le temps ! Même avec un copain pour lui dire qu'il te manque !

Pierre : Si tu veux avoir une idée exacte des chiffres, ou presque, du retour – y en a qui parlent de 20 ou 30 % – regarde sur ton ordi et cherche les agences de déménagement, elles, elles doivent peut-être les connaître ! Mais bon, le mouvement d'alya est irréversible ! J'ai écrit un truc, en 2004, où je disais, à une autorité quelconque : « Faites bien attention, ce qui est en train de se passer en France, c'est comme un jeu vidéo. » La seule différence, c'est que, dans le jeu, quand la partie est finie, on inscrit sur l'écran « Game over ». Dans la réalité, y a pas écrit que la partie est finie ! Mais je pense que c'est le cas pour les juifs de France…

Avi : Pierre avait jadis imaginé le slogan suivant : « L'alya est une décision personnelle mais une responsabilité collective. » Oui, nous sommes tous responsables de la qualité et du succès des émigrations ! Les Israéliens, de ce point de vue, sont magnifiques : si une personne pleure dans la rue, tu en as dix autres autour d'elle pour la consoler ! La solidarité est formidable !

Pierre : C'est vrai. Mais elle est pas partout, la solidarité ! Regarde, le débat politique, ici, il est d'une violence extrême et d'une incroyable agressivité ! Ils pourraient s'entretuer ! Inimaginable en France, même sur les plateaux que tu faisais, Serge ! (Rires.)

Jacob : Quoi qu'il en soit, quand je rentre en France, Israël me manque vachement ! Et, très vite, j'ai un besoin fou d'être de nouveau chez moi !

Moi : J'aimerais bien comprendre ce que tu entends par « chez moi » ?

Jacob : Appartenir à un groupe. Dans ton identité à toi, Serge, le judaïsme ne pèse peut-être pas très lourd. Ici, on *est* juif, on se *sent* juif, à 100 %.

Moi : Moi aussi, je me « sens » juif.

Jacob : Oui, mais tu n'es pas un juif « communautaire » !

Moi : Certes !

Jacob : Moi, la terre me parle. Je l'associe avec le peuple et la loi. Ça forme un tout. Je dis « chez moi », parce que mon identité juive a une dimension plus « nationale » que pour toi ! Ici, nous sommes la majorité. C'est capital. Mais vraiment, en vingt-sept ans de carrière diplomatique, je n'ai jamais rencontré de défi plus difficile que celui qui consiste à expliquer le terme « juif » ! Ce mélange complexe de religion, d'appartenance nationale, d'histoire, de langue et d'identité ! Tout cela à la fois, avec des moments pourtant où l'une ou l'autre des composantes domine l'ensemble ! C'est tout ce que l'on peut dire, selon moi. J'ajoute, pour simplifier, que plus tu es israélien, moins tu es juif. (Rires.)

Pierre : Et si l'on passait à table ?

Souvenirs de Tunis

Pas une seconde de ma vie, je n'ai oublié La Goulette, banlieue de Tunis. Et de Tunis, banlieue de La Goulette. J'ai tant aimé ce port et ces restos du bord de mer qu'encore aujourd'hui, j'y retourne sans cesse. Quand j'étais petit, j'étais fasciné et vaguement effrayé par les gros poissons qui venaient d'être pêchés et se balançaient tout frétillants sous les ampoules nues des étals des restaurants, monstres marins offerts à la gourmande convoitise des familles en goguette. J'ai tant aimé son ambiance piailleuse et désinvolte, gaie, virevoltante et tchatcheuse, « à la Tunisoise ». Et je n'oublierai jamais ses « poissons complets », ceux, surtout, de l'inoubliable « Bichi », bien sûr ! Poissons complets, dont je ne vous dirai jamais, c'est juré, en quoi ils étaient « complets » ! La Goulette, un monde dans le monde, où tous, juifs, arabes, siciliens, maltais ou « Français-de-France », bavardaient, se croisaient, flirtaient, s'engueulaient et, surtout, mangeaient ensemble comme des ogres débonnaires et rigolards. Je me souviens des beignets dégoulinants d'huile ou de miel et des pastèques sanguinaires. Je me souviens des femmes énormes qui chahutaient derrière leurs éventails. Je me souviens des bébés ensommeillés et des granités au citron. On avait envie que la nuit étoilée ne cesse jamais, striée qu'elle était par les étoiles filantes de l'été et rythmée par la musique arabe diffusée à tue-tête à travers de gigantesques haut-parleurs.

Je retrouve La Goulette à l'identique, ou presque, sur la grande place dite du Kikar à Netanya. À la terrasse du Café William, un vieil homme, nommé Alfred Bellaïche, juste pour me faire plaisir, et à pleins poumons, se met à chantonner un vieux refrain. Celui d'une revue musicale écrite par mon père, alors qu'il était tout jeune. Bellaïche me dit : « Je faisais partie de la troupe de ton père ! Moi, j'étais sioniste, lui pas, mais qu'est-ce qu'on se marrait ! Allez, pour toi, et en souvenir de lui, en hommage à ton papa, écoute, mon fils, écoute bien ! Imagine l'orchestre, la salle est pleine, j'arrive sur scène et je chante :

À Tunis, on aime vraiment
S'raconter les cancans
Et le soir sur la Marine,
Tous vont et potinent
C'est toujours le même refrain
On y jabote
On y radote
On y flirte et l'on chuchote…

Mmes et MM. Scemama et Samama, Barouch et Barrouk, Maarek et Marek, Cohen, Cohen-Solal, Cohen-Tanugi et Cohen-Boulakia, se regroupent autour de M. Bellaïche, et reprennent le refrain de « Tunis qui potine », comédie musicale écrite par mon père, Serge (le « vrai » Serge), lorsqu'il avait vingt-deux ans en 1925. Écoutez ce chœur plein d'allant des octo et nona (-génaires) d'Israël, anciens de La Goulette ou de La Marsa, de Sousse ou de Sfax, de Nabeul ou de Djerba :

Tous les potins
Mille et un riens
Qu'on se répète
De cinq à sept
Sur l'av'nue de la Marine
C'est tout Tunis, tout Tunis
Qui potine !...

On applaudit. On s'applaudit et moi, j'embrasse M. Bellaïche. J'ai envie de pleurer. D'ailleurs, je pleure. Netanya et son Kikar. Tunis et sa Goulette de jadis retrouvées ! Tout y est : le chahut, la boukha[1] et la kémia[2] ! Chez William, on joue même à la chkobba[3],

1. Alcool de figue. Mythique. Incontournable.
2. Gigantesque assortiment d'amuse-gueules qui se sert à l'heure bénie de l'apéro sur tous les comptoirs du seul bassin qui compte, le nôtre, le méditerranéen.
3. Jeu de cartes très populaire, prétexte à (fausses) engueulades et à fâcheries aussi diverses qu'éphémères.

en dévorant des « folies » de petits plats aussi géniaux que là-bas. Et les pois chiches au cumin et au sel, une « tuerie », les radis, et les olives noires ou vertes ou fendues, et les merlans frits, et les sardines grillées, et les calamars, et les merguez qui ouvrent la farandole des couscous du soir ! Celui de Djerba ou de Sfax, au poisson, à l'agneau et aux légumes, au poulet ou au mouton : il y a tout Chez William à Netanya ! Tout. Y compris l'harissa dans la seule bonne huile d'olive, celle de chez nous, où l'on trempe le pain chaud, et même, je le dis en chuchotant, de peur que le secret ne s'évente, des œufs de mulet séchés, de la boutargue, mais oui, mon caviar à moi, de la boutargue, de la vraie, de l'excellente, de l'incomparable, de la fa-ra-mi-neuse ! Et je le dis sobrement. Bref, vous l'aurez compris, Netanya est le paradis israélien des juifs tunisiens et assimilés car on a, comme chacun sait, le cœur vaste, accueillant, bourré de boutargue et de nostalgie universelle.

L'un : Ici, on rencontre des gens qu'on n'a pas vus depuis trente ans ! Une merveille.

L'autre : C'est comme si on n'avait jamais vécu en France... Parole d'honneur ! Ils sont tous là, nos souvenirs du pays natal ! Ils nous remontent au cœur, à Netanya !

Une troisième : C'est La Goulette, avec nos robes fleuries du shabbat, les regards des petits amoureux, et le parfum des jasmins, la paix...

Une quatrième : Le « juif errant », ou plutôt la « juive errante », voilà ce que je suis, une grand-mère qui a des petits, ici, en France, en Floride ou au Canada ! C'est pas de la blague ! Juive errante, je suis ! Heureusement qu'il y a WhatsApp, Facebook et tutti quanti ! Je passe mon temps en avion et j'ai quatre-vingt-quatre ans… Mais chez moi, c'est ici !

Un cinquième : Que Dieu te bénisse, Alice, la vérité, tu fais à peine quatre-vingt-trois ! À peine !

Tous : Ah, ah, ah !… Allez, une tournée de boukha pour les hommes et des citronnades pour les dames !

M. Bellaïche : Moati, pourquoi tu as pris le prénom de ton papa ? Chez nous, les juifs, ça se fait pas.

Mme Chiche : Parce qu'il était orphelin, le pauvre gamin ! C'est un hommage à son père !

Ça fait si longtemps que l'on ne m'a pas appelé « pauvre gamin », que rien que pour ça, je reviendrai à Netanya !

Mme Bijaoui est plus jeune que la moyenne de la troupe assemblée. Une gamine : mon âge.

Mme Bijaoui : On est bien, ici, si bien ! On a une retraite française. Alors, ça va ! On habite Netanya : c'est moins cher que Tel-Aviv, ça c'est sûr, ou que Cannes, Nice, Antibes ou Juan-les-Pins, je te le dis, moi ! Et y a plus de soleil qu'à Deauville, crois-moi !!

Tous, dans un bel ensemble, opinent d'un chef non recouvert de kippa. Un temps.

M. Sarfati (effet « douche froide » garanti) : Si je n'étais pas juif, je voterais Marine Le Pen ! Voilà.

Moi : Ah ?…

M. Sarfati : Oui ! Et je ne suis pas le seul. Les ennemis de mes ennemis sont mes amis. Et on a les mêmes ennemis : les Arabes...

Moi (un peu sonné, et entre mes dents) : Pardon mais c'est une vraie bêtise ! (Silence relatif.)

M. Boujnah : Tu savais pas, Moshé, que monsieur Moati, il est socialiste ?

Mme Bijaoui : Allez, on parle pas politique, c'est péché un vendredi avant le shabbat...

Je fais le tour des autres tables et serre des mains, comme un élu local en campagne. Nelly, la patronne, m'accompagne et me dit qui est qui... Des avocats, une flopée de médecins (idéal pour l'hypocondriaque que je suis !), des assureurs ou des commerçants en tout genre et, bien sûr, une armée compacte et pacifique de retraités plutôt heureux : à tous, Chez William rappelle le bon temps, la grande époque des juifs en Afrique du Nord ! Arrive, alors, une famille entière : les Becache. Ils résident dans la ville voisine, la huppée, la douce, Ra'anana, là même où iront habiter le 20 juillet 2016 les Licha. Je m'incruste auprès des parents et des enfants.

C'est la maman qui me parle d'abord sur un fond de grand brouhaha qui m'est tout à fait familier :

La mère : C'était mon rêve de faire l'alya. J'avais choisi mes études en fonction de la possibilité d'exercer en Israël. Je suis dentiste. À l'époque, c'était possible, côté équivalence des diplômes. J'ai grandi dans une famille sioniste très militante, j'allais de gala en gala, de collecte en collecte, et j'ai vécu dans l'amour d'Israël. Je me suis mariée en 1995 et, dès 2006, on a acheté notre premier appartement ici. Et en 2010, enfin, l'alya !

Le père : Notre fils Mathias avait douze ans, Yaël, huit, et le troisième, Raphaël, nous disait tout le temps : « Israël est le pays des juifs. On est juifs. Pourquoi on n'y va pas ? »

Mathias me parle, lui, de l'école d'ici :

Mathias : J'ai découvert à douze ans l'école israélienne ! J'ai adoré. Ici, tout est plus axé sur le social ! Et il y a beaucoup plus d'entraide ! Les profs font des heures sup, de manière naturelle, pour les enfants qui en ont besoin. J'en ai vu qui restaient juste pour m'aider parce que j'étais nouvel émigrant. Ils te donnent leurs numéros de téléphone et tu peux les appeler chez eux si tu as un problème !

Le père : Le système scolaire en France est oppressant et destructeur. En Israël, on pousse les gens, on les encourage. Beaucoup plus qu'en France. On vivait entre Bry-sur-Marne et Joinville, c'était pas ça, croyez-moi ! Là-bas, les gens n'osent pas entreprendre ni parler en public et, surtout pas, prendre des initiatives. Au final, ça donne un pays de fonctionnaires !

Mathias : Ici, l'expression libre des idées et des sentiments est demandée ! Elle est même exigée !

La mère : À l'école, ils ont des cours d'actualité ! Dès le primaire. Ils apprennent à monter sur scène et à parler en public. Le thème de la fête de fin d'année, la dernière fois c'était : « Rêvons en grand et changeons le monde » ! Pas mal, non ? Un « vivre ensemble » à la sauce israélienne !

Mathias : Mon école est très à gauche… Très…

Le père : Pas moi ! Je suis résolument de droite, mais sociale…

La mère : Moi oui ! Je suis résolument de gauche, mais réaliste.

Raphaël se mêle à la discussion :

Raphaël : Quand tu te dis de gauche au lycée, tu es un « traître »… C'est incroyable ! Pour moi, la droite est sans vision à moyen ou long terme. Le Jihad, les terroristes, ils sont très heureux quand ils voient la droite israélienne prendre et garder le pouvoir.

Le père : Qu'est-ce que tu racontes ?

Raphaël : Mais si ! Bibi et sa bande légitiment le Jihad ! Pour moi, il faut rendre les Territoires ! Urgent !

Si Raphaël est « très à gauche », Mathias, le soldat-qui-garde-la-frontière, me dit voter à droite, comme son père. On le voit, la famille est politiquement divisée, mais c'est très à la mode ici !

Le père : « Oslo », en 1993, a été terrible et très triste. Un rêve brisé : pas d'accords ! Ni de paix !

Il y a toujours un moment où, dans le monde arabe, la question religieuse se pose et gâche tout !

La mère : Chez nous aussi, non ?

Le père : Moins ! Beaucoup moins ! Mais bon, c'est vrai qu'en Israël, hélas, tu es aussi obligé de passer par le débat théologique !

La mère : Bien sûr ! La société est complètement partagée, sectorisée. Quelqu'un qui ne respecte pas le shabbat est considéré comme un diable par les religieux ! À l'inverse, les orthodoxes qui ne font pas l'armée sont détestés par les laïcs ! On est pourtant entre juifs, on est, soi-disant, du même peuple, mais c'est très difficile à vivre ! L'assassinat de Rabin a été un élan fratricide !

Raphaël : Pour les gens de droite, le problème ce n'est pas les Arabes, mais nous, les gens de gauche !...

Le père : Et vice versa !

Nelly (la patronne) : Je sers le couscous ? Boulettes ? Merguez ? Vous allez tout de même pas parler politique toute la nuit ?

Le père : Sers, sers ! Je change de sujet : ici, un Français se retrouve dans un « univers impitoyable », comme celui de la chanson de Dallas, le feuilleton ! Dix à douze jours de vacances maxi, tu es corvéable à merci, tu es viré en un mois avec des indemnités ridicules ! Libéralisme sauvage ! Moi, je gagne trois fois moins qu'en France où j'étais assureur ! Vous voyez que je ne suis pas si à droite que ça !

La mère : Les Français qui vous disent qu'ils ont « plus de sécurité ici », c'est un pur fantasme ! Ils font semblant d'y croire pour se dire qu'ils ont bien fait de venir ! Mais tout le monde sait qu'il y a tous les jours des attentats déjoués ou, hélas, pas déjoués du tout, à Jérusalem ou à Tel-Aviv !… Bon, tant pis… Nous, on y est et on est bien ! (Rires, puis…)

Tous : Nelly !!!

Nelly : Quoi encore ?

La famille : On manque de bouillon pour le couscous ! Et du chaud !

Nelly : On dit : « Bevakasha, Nelly[1] ! »

Tous : « Bevakasha, Nelly ! »

La nuit est douce. Étoilée. On parle fort. Et on chahute. Certains se remettent à chanter, pour me faire plaisir, « Tunis qui potine ». J'ai un peu bu. Mais je sais me tenir. Ou presque.

---

1. « S'il te plaît, Nelly ! »

Le commissaire

Le lendemain, toujours à Netanya, je retrouve mon copain Samy Ghozlan, qui aurait pu être surnommé par un Michel Audiard de retour du côté des vivants le « poulet cacher » ou bien encore le « Columbo séfarade ». Ceci pour dire que ce commissaire, certes à la retraite, est toujours très actif. Que l'on en juge : après avoir été, à la suite des attentats de la rue Copernic et de la rue des Rosiers, nommé, par le ministère de l'Intérieur, « commissaire en chef » chargé des enquêtes sur les tueries antisémites, il avait fondé, à l'aube des années 2000, le Bureau national de vigilance contre l'antisémitisme (BNVCA). C'était à ce titre que je l'avais reçu sur mon plateau de « Ripostes » il y a quelques années. Je le retrouve avec plaisir. J'apprends alors qu'il a fait son alya.

L'ex-commissaire m'explique :

– J'ai soixante-douze ans... Ce n'était pas un projet pour moi, de partir en Israël ! Non, jamais je n'aurais pensé aller y vivre avant ! Je suis profondément français. Flic et fils de flic en plus. J'avais une très haute idée de la fonction publique et de la France qui a fait énormément pour nous...

– Alors qu'est-ce qui s'est passé ?

– Ma fille, à l'époque âgée de trente-cinq ans, était avocate à Paris. Elle avait défendu un jeune juif violemment frappé pendant une manifestation « pro-Gaza ». Elle m'a raconté le procès. Des barbus, dans la salle, lui faisaient des signes atroces de menace, comme s'ils voulaient l'égorger ! Elle a dû sortir du Palais de justice par une porte dérobée. Un soir, elle m'a dit : « Papa, demain, je vais à l'Agence juive... On va faire notre alya. C'est pour les quatre enfants qu'on fait ça ! Pour leur avenir. » Ça m'a fait un choc terrible... Moi, je n'y pensais pas, comme je te l'ai dit, mais je me posais des questions... En enquêtant sur les attentats, je me rendais bien compte que les autorités, à l'époque, ne comprenaient rien car, pour elles, les actes anti-juifs ne pouvaient venir que du Front national !

– Comment a commencé l'aventure du BNVCA ?

– J'ai pris ma retraite en 1998. En 2000, les actes antisémites se sont multipliés. Des gens sont venus me trouver en tant qu'ancien flic pour me parler, m'alerter. Ils m'ont demandé qui, selon moi, dans nos banlieues, étaient les responsables de ces nouvelles vagues de violence ? La police leur disait qu'elle ne savait pas. Alors, progressivement, sans aide publique ni subventions, j'ai mis en place une hot-line, vingt-quatre heures sur vingt-quatre, sept jours sur sept, pour signaler les attaques et briser le silence. J'ai trouvé des amis sûrs, des représentants juifs dans les communautés tout autour de Paris, et j'ai fait en sorte d'être le lien entre ces communautés très inquiètes et la police. J'ai informé les journalistes, les médias. Pour te donner un exemple, je te rappelle qu'il y a eu huit cent cinquante et un actes antisémites en 2014 contre des synagogues, des écoles, ou bien dans les transports en commun. Les maires communistes de nos banlieues n'avaient d'yeux que pour les Palestiniens ! Pour eux, c'étaient des « victimes », toujours les « gentilles » victimes des « méchants » Israéliens. Les juifs de France n'étaient que les représentants d'Israël, cet État détesté, colonialiste et assassin ! Souviens-toi, Serge, dans les manifs, ils pressaient les oranges importées d'Israël en criant : « C'est le sang des Palestiniens ! Voilà leur sang ! » Et ça n'a fait qu'empirer ces dernières années : attaques au couteau dans la rue, coups de feu, cambriolages violents de maisons juives avec croix gammées taguées sur les boîtes aux lettres ! Tout ça dans les cités près de Paris, puis à Marseille, Toulouse, et même dans le quartier juif de Lyon. C'est l'extrême gauche française qui poussait les Arabes et les Africains à défier la police. Souviens-toi, encore, de juillet 2014, le 26 ou le 27, quand ils ont assiégé en hurlant de haine des juifs dans leur synagogue, rue de la Roquette, et quand ils ont scandé à nouveau, quelques jours après, « Mort aux juifs », en plein Paris ! Israël, pour eux, c'est le diable ! C'est un État nazi ! Et si, du temps de l'attentat contre Goldenberg ou contre la synagogue de la rue Copernic, les Français ont répondu présents, c'est parce qu'ils pensaient, que, derrière tout ça, il y avait l'extrême droite ! Maintenant, ils savent que non ! Et qu'Israël est détesté par toute une partie de l'opinion qui mêle exprès « antisionisme » et « antisémitisme ». Alors, résultat, les juifs émigrent. Normal. Tu vois, je vais te dire, un gamin de treize ans qui, aujourd'hui, fête sa bar-mitsvah n'aura jamais connu rien d'autre que l'antisémitisme et les militaires devant son école, il n'osera pas porter sa kippa dans la rue et cachera toujours l'étoile de David qu'il porte autour du cou. Ses parents, en plus, passent leur temps à lui dire : « Fais attention quand tu sors de la synagogue, rentre vite, ne traîne pas dans la rue ! » Avec tous ces émigrants arabo-musulmans, ça va devenir de pire en pire. Le gouvernement, lui, est impeccable, c'est vrai. Mais Coulibaly, les frères Kouachi, tous ces salauds étaient connus des services !... Et ça n'a servi à rien ! À rien ! Les fiches S, tu parles ! Que des ratés, des flops ! Quand ces salauds s'attaquent aux juifs, ils sont sûrs qu'on va en parler ! En dehors du fait qu'ils pensent que tuer des juifs peut [leur] permettre d'accéder directement au paradis, ça leur fait une pub d'enfer ! Et ils aiment ça, la pub ! Je vais te dire, si les juifs tués lors de l'attentat de l'Hyper Cacher, comme avant eux, Ilan Halimi, ont été enterrés en Israël, c'est parce que leurs familles avaient peur qu'en France, leurs tombes soient profanées ! Alors, oui, j'ai décidé de partir pour Israël. Je n'abandonne pas mes amis de France.

Je n'abandonne personne, je continue à travailler contre ces salauds ! Toujours.

Je quitte Netanya et son Kikar, ce haut lieu, cette place forte du rassemblement des juifs de France de cette Riviera israélienne où 34 % de la population parle français. Netanya, surnommée aussi « le petit Paris », mais alors un petit Paris très, très méditerranéen !

Paroles de militants

Marie-Lyne sourit. Elle me désigne la poche avant gauche de son jean. C'est visiblement lourd. Ça fait une bosse. Elle m'explique :

– Je me balade avec un vrai couteau suisse sur moi. Il pèse le poids d'un âne mort. Mais comme ça, je peux répondre à une attaque. On ne sait jamais. Qu'ils viennent, ils trouveront à qui parler. Et je ne parle pas seulement des terroristes !

– Me voilà prévenu.

– Plaisante pas. Pourquoi un couteau suisse ? Parce que je les collectionne. Ça me rappelle mon divorce.

– J'ai du mal à te suivre ! On me prête, parfois, un esprit délié, mais c'est vrai que, en vieillissant, je me délite. Et je ne comprends plus rien à ce que me disent les gens qui me font l'amitié de me parler ! Je pense surtout aux femmes qui parlent vite, trop vite, un peu dans ton genre, si tu vois ce que je veux dire…

Elle sourit encore. Son visage s'illumine puis, soudain, se rembrunit. Elle se souvient :

– Je suis arrivée ici à dix-huit ans. Seule, en plein été, à Jérusalem, sans parler un mot d'hébreu. J'étais en short. J'ai débarqué direct au Kotel. On m'a prise pour une pute. Une pestiférée. Ensuite, j'ai traversé le souk et tout le monde s'éloignait de moi. C'était mon premier jour en Israël. J'arrivais de Paris. Je me suis mise à l'écart, loin, et là, j'ai embrassé la terre, la mienne, et j'ai pleuré. Puis j'ai été serveuse, j'ai fait des ménages, tout ! Et n'importe quoi ! L'important, pour moi, était de rester en Israël.

– Oui… Mais, pardon, quel rapport avec le couteau suisse et ton divorce… ?

– Des années ont passé… J'ai fait des études plutôt réussies à la fac de sciences humaines de Tel-Aviv. Et j'ai épousé un homme très sioniste. On a vécu en Suisse pendant huit ans et on a eu deux enfants ! Mais, hélas, ça a mal tourné.

– D'où l'usage du couteau suisse ?

– Presque. J'ai divorcé… On était donc à « couteaux tirés » !…

– Très drôle ! Nous y voilà, donc !

– Je ne voulais pas devenir une Ayonna !

– ???

– C'est une femme qui n'a pas le droit de se remarier parce que son mari ne veut pas lui accorder le divorce ! Et il en a le droit ! C'est un parcours du combattant pour chaque femme. C'est une lutte. Il faut un acharnement incroyable et une volonté de fer pour attendre le bon vouloir de monsieur, qui s'abrite derrière une loi, soi-disant écrite par Dieu Lui-même ! Je voulais rentrer en Israël, avec mes enfants, mais « Si tu n'es pas là où je suis, tu perds la garde des petits », m'avait dit, menaçant, mon futur ex-mari ! Et ce n'était pas de la pure fiction : cela pouvait arriver, face à un tribunal rabbinique inflexible, où ne siègent que des hommes au service des hommes[1]. Ceux-ci, il faut le savoir, commencent leur journée par une prière où ils félicitent et remercient Dieu de ne pas les avoir fait naître femme ! C'est dire. Je voulais de toutes mes forces obtenir enfin le gett, le « libellé », l'acte de divorce qui ne peut s'établir qu'avec l'accord total du mari donné devant les rabbins. C'est très dur et très long. Bien que les règles se soient un peu assouplies ces derniers temps et que de nombreuses mesures aient été prises à l'encontre des hommes tout-puissants, une candidate au divorce sur trois déclare avoir été soumise à des menaces ou à de graves tentatives d'intimidation ! Enfin, j'ai gagné mon procès et je suis repartie avec les enfants ! Ç'a été comme une deuxième alya ! J'étais super-pauvre, il n'y a pas de smic en Israël, je gagnais entre huit cents et mille euros et j'avais des problèmes, bien évidemment, de pension alimentaire ! C'était l'enfer pour les gamins après la profusion suisse. Je m'en voulais, je culpabilisais pour

1. Voir à ce sujet le magnifique film *Gett. Le procès de Viviane Amsalem* (2014), que la très grande actrice israélienne, hélas disparue, Ronit Elkabetz, a interprété et réalisé avec son frère Shlomi.

eux. Alors, je me suis encore battue. J'avais l'énergie du désespoir, mêlée à l'envie forcenée de combattre l'injustice faite aux femmes. Mes diplômes enfin obtenus en totalité, j'ai rejoint un mouvement de femmes de gauche et d'extrême gauche, toutes ashkénazes, et trop à gauche pour moi en définitive. Alors, j'ai voulu réunir des femmes, oui, mais plus modérées. Notre but : militer pour l'égalité hommes/femmes et sortir de l'impasse politique dans laquelle on vit. L'été dernier, pendant cinquante jours, on a jeûné pour la paix. Pour nous, pour nos enfants. Que des femmes. Que des mères. Juives surtout, mais arabes aussi. Cela s'appelle « Les femmes pour la paix », tout simplement !

– Vous êtes nombreuses ?

– Au bout d'un an, on est quinze mille. Et on est implantées dans tout Israël. La paix peut être une affaire de femmes. Je le sens, je le sais, je connais bien les jeunes femmes de ce pays pour enseigner, depuis de longues années, à de très nombreuses étudiantes ! Je n'ai pas envie d'imaginer que mes enfants et mes petits-enfants continueront longtemps à courir aux abris. Deux peuples pour deux États, la solution est là ! Et c'est la seule.

– Netanyahou ne semble pas très motivé…

– Il a peur de perdre son poste ! Mais s'il voit qu'un mouvement de femmes se lève, pas seulement des femmes de gauche, mais aussi du centre, et même du Likoud, son parti, ça peut l'encourager à aller de l'avant. Veut-il faire l'histoire ou maintenir, sans fin, ce non-choix stérile ? Tant pis pour son extrême droite, Liberman et toute la clique ! La majorité des Israéliens – et surtout des Israéliennes ! – veulent un accord politique ! Il faut mettre fin à la paralysie qui va gagner tout le pays tant que l'on n'aura pas mis fin au conflit ! Les jeunes femmes de mon mouvement sont très impliquées, très concernées. Elles savent à quel point c'est difficile de vivre en Israël ! Souvent, elles sont venues de France avec les alyot récentes, la tête pleine d'espérance et de confiance en Bibi, mais, là, elles ne voient pas l'avenir ! Tant d'Israéliens sont dans la survie, juste dans la survie ! Oui, il faut sortir du désespoir. Les start-up, c'est bien, mais ce n'est pas tout le peuple d'Israël ! Les choses peuvent changer, Serge !

– Continue, s'il te plaît !

– L'ancien grand rabbin d'Israël, lui-même, souhaite la séparation de « la Synagogue et de l'État », ainsi que l'autorisation du mariage et, donc, du divorce civil ! Ce serait une belle révolution ! Allons-nous continuer indéfiniment à faire la guerre à l'extérieur, et dans les couples, tout en nous mariant civilement, entre deux attentats, en grand secret à Chypre ? Sûrement pas ! Le bon sens, le progrès, peuvent et doivent l'emporter ! Comme le camp de la paix ! Vive Israël !

– Et vive toi !

Après cette rencontre revigorante et, bien sûr, plus amicale qu'une lame de couteau suisse, je suis allé retrouver mon vieil ami Dany Bensimon, journaliste fort connu en Israël, qui fut aussi député et même président du groupe travailliste à la Knesset. Un socialiste, un vrai, espèce plutôt rare du côté séfarade que cette ancienne plume de l'excellent *Haaret'z* qui anime, maintenant, une émission à la télévision. Il parle, il débat, il commente. Sa voix est entendue et ses convictions affirmées. J'avoue ne pas bien connaître l'histoire de son alya dont il est en train d'écrire le récit[1]. Alors, je l'écoute.

– J'avais seize ans en 1969, quand je suis arrivé du Maroc, de Casablanca, où j'étais élève à l'école normale hébraïque. Là, on ne voyait que des films de propagande sur Israël !... L'Agence juive de l'époque avait comme « kidnappé » les jeunes Marocains de mon genre. Tous massés dans un avion ! Et, à l'arrivée, les deux cents que nous étions ont été séparés d'un coup d'un seul. On m'a mis dans un camion et je me suis retrouvé dans une sorte de yeshiva. Un internat où la première chose dont on m'a affublé le crâne a été une kippa noire ! Je me souviens que l'Israélien « formidable » des films de propagande s'est mué en antihéros de cauchemar religieux pour le petit jeune que j'étais. Je voulais retourner chez moi ! On m'a alors fait croire que l'on avait égaré mon passeport ! Plus de passeport ! Terrible. Je te jure que c'est vrai, Serge !

– Je te crois, Dany. Mais c'est effrayant.

1. Son autobiographie vient d'être publiée avec succès en Israël.

– Je sais ! Nous autres, issus de l'émigration marocaine, on était considérés comme de la racaille. La racaille de la racaille. Cinq cent mille Israéliens sont des anciens du Maroc, tout de même ! La vision des gens d'ici, c'est que la « crème » des juifs marocains s'était installée en France. Et les « autres », ici...

– Comme les tunisiens, donc... On disait que, après l'indépendance, les pauvres, les religieux, ou, bien sûr, les très sionistes, allaient en Israël, alors que les bourgeois un peu friqués, cultivés et assimilés filaient vers la France !...

– Exact. Quant à moi, je suis parti direct à l'armée en 1972, unité d'élite et tout. De la yeshiva au bataillon de choc. Là, j'ai vu de près la société israélienne. Et son drame : la séparation entre les laïcs et les religieux. Nous vivons dans un monde clivé entre la tradition juive et la laïcité israélienne. Moi, bien sûr, et ce depuis mes débuts dans la vie civile, j'ai rejoint le « camp » laïc. C'est un camp affaibli, cassé, la bataille semble perdue. Le juif l'a emporté sur l'Israélien. Prends Ben Gourion : il n'avait jamais mis les pieds dans une synagogue ! On a oublié que le sionisme est une invention laïque. En 1947, le même Ben Gourion a demandé aux orthodoxes de soutenir la création d'Israël. Et un *statu quo* a été établi. Une sorte de « Yalta », de partage : aux religieux, la gouvernance de la vie quotidienne depuis la naissance jusqu'à la mort, en passant par les circoncisions, les bar-mitsvot, les mariages, les divorces et tout le reste jusqu'au calendrier lui-même ! Et aux laïcs, la direction du pays ! Alors, de nos jours, où en est-on ? Qu'est-ce qu'Israël, aujourd'hui, veut dire ? Quel est son visage ? Nous ne le savons pas bien. Nous ne connaissons pas même notre âge : avons-nous cinq mille ans ou sommes-nous nés en 1948 ? Pour Yitzhak Rabin, le pays avait l'âge du sionisme. Je me souviens, j'étais journaliste et j'ai couvert une manifestation « anti-Rabin » en octobre 1995. Un mois avant son assassinat par un juif ! J'ai vu des images terrifiantes, Rabin déguisé en SS, et tout autour des excités haineux en kippa qui criaient : « Rabin, traître ! Il faut le tuer ! » Toutes les colonies étaient descendues à Tel-Aviv et sont venues lyncher symboliquement le Premier ministre de la paix en hurlant. Dans ces mêmes colonies, ç'a été l'euphorie le jour où sa mort a été annoncée. Ils ont dansé. L'assassinat de Rabin, il y a vingt ans, date et marque la grande cassure de la société israélienne. Les juifs ont alors gagné la partie sur les Israéliens. Le projet israélien est menacé par le projet juif. Le futur des Israéliens est menacé par le passé des juifs. 1967, la guerre des Six Jours, c'est le triomphe du « retour à la Terre » ! Un coup de folie juive, le triomphe des racines « retrouvées ».

– Je me souviens de la griserie euphorique de la victoire. Un peuple entier allait au mur des Lamentations et y pleurait, bouleversé. Tout le monde s'embrassait, les laïcs et les pas laïcs du tout.

– Oui ! Et, quelques mois après, sous un gouvernement pourtant travailliste, les premiers colons ont pris le chemin d'Hébron, de Naplouse, de Ramallah ou de Jéricho. Et ç'a été les premières colonies. Une, dix, cent... Quatre cent mille Israéliens y vivent, sans compter les deux cent mille de Jérusalem-Est. Un pilote de l'armée de l'air israélienne m'a dit que, en survolant la Cisjordanie, il était arrivé à la conclusion que le règlement du conflit était impossible tant les colonies sont nombreuses ! Un rêve pour la droite que ces colonies et les routes qui les desservent ! Tout cela morcelle littéralement l'éventuel territoire palestinien. Le rogne. Le hache. Il faut que tu saches, Serge, qu'Israël dépense beaucoup plus pour les juifs des colonies que pour le reste de ses habitants, où qu'ils soient dans le pays, dans le Néguev ou la Galilée, par exemple ! Et deux fois plus, *deux fois*, que pour un habitant de Tel-Aviv ! Les constructions de logements dans ces mêmes colonies ont augmenté de 105 % ces derniers temps ! Et les maisons des colons prennent chaque année plus de valeur. Imagine deux secondes le coût d'une évacuation... Le dédommagement qu'il faudrait donner à tous ces gens ! Et il faudrait les reloger ailleurs en plus ! Infernal ! Trop coûteux ! Du pain bénit pour notre gouvernement qui ne veut pas, surtout pas, la paix ! Je vois d'ici le sourire satisfait et cynique de nos extrémistes devant ces chiffres énormes ! Tu sais à quoi je pense ?

– Que la paix est fort lointaine !

– Et aussi que je reconnais sur leur visage le même sourire que celui de l'assassin de Rabin lorsqu'on lui a annoncé qu'il allait passer toute sa vie en prison ! Le sourire de satisfaction de quelqu'un qui pense avoir sauvé Israël des mains du « traître ». La justice des hommes, il s'en moquait !

– Comme un terroriste djihadiste ?

– Oui, d'ailleurs, je l'ai dit dans un long entretien…

– Long et superbe !… C'était avec Alain Michel[1]. Je l'ai lu et relu !

– L'assassin de Rabin avait le même sourire qu'un jeune kamikaze islamiste à Haïfa dont on a juste retrouvé la tête après qu'il a fait péter sa charge explosive… Oui, il souriait aussi !

Un temps.

– Comment ressens-tu cette alya des juifs venus de France ?

– Ils semblent jubiler en retrouvant ici les terres perdues de l'Afrique du Nord ! Les « vieux » Israéliens, qui ont émigré il y a longtemps, ne les aiment pas beaucoup. Ils trouvent qu'ils manquent de « style » et ils les perçoivent comme des sans-gêne, braillards et friqués ! Politiquement, ils sont d'un patriotisme terrible, beaucoup plus israéliens que tous les Israéliens de droite réunis. Les olim français doivent vraiment faire un choix. Parce que la haine des Arabes les tenaille, iront-ils rejoindre mécaniquement le camp des ennemis de la paix ? Sont-ils plus juifs qu'israéliens ? C'est la vraie question ! Je

1. Alain Michel : « Hommes de parole ». Entretien publié le 15 octobre 2003, hommesdeparoles.org/docs/Fentret/Bensimon.pdf.

vois les équipes de foot à l'école de l'un de mes gosses. Les seuls porteurs de kippa sont des olim français avec des prénoms ultra-orthodoxes ! Et le fric qu'ils ont ! Leurs parents ont acheté leurs appartements en payant cash ! Des millions d'euros en cash ! Incroyable. En plus, quand on les entend, ils semblent haïr aussi les Français et la France, cette France qui les a pourtant si bien accueillis et les protège si bien face au terrorisme islamiste prenant les juifs pour cibles emblématiques et privilégiées !

– Tu es parfois optimiste… ?

– Je le voudrais. De tout mon cœur.

– Non, mais tu l'es ?

– Je le veux. Donc je le suis. Malgré les cent mille roquettes du Hezbollah pointées sur nous, malgré les attentats cruels et à répétition, je crois à la coexistence pacifique, ici, des juifs et des Arabes. Ils sont 20 % de la population tout de même ! Soit près de deux millions d'Israéliens !

– Israël, terre des miracles ?

– Bien sûr…

– Comme disait Shimon Pérès dans le film que j'ai fait dans le temps sur lui : « Le processus de paix ressemble à une nuit de noces dans un champ de mines ! »

– Joli ! Quelle mémoire, Serge !

– N'est-ce pas ?

*
* *

Je retrouve mon « frère » Dany Shek. Je lui rapporte les propos de son camarade Bensimon. Il me précise ceci :

– Le débat aujourd'hui entre la gauche et la droite est le suivant : est-ce que l'État juif et démocratique voulu par Ben Gourion lors de la déclaration d'indépendance en 1948 doit être « plus juif que démocratique » ou « plus démocratique que juif » ? La droite nationaliste religieuse se passerait bien volontiers de certaines valeurs démocratiques au profit exclusif d'une identité juive plus affirmée... Par contre, rassure-toi, Serge, il reste quand même une gauche importante, la mienne, qui, tout en réclamant fièrement son identité juive, estime que transiger sur ces valeurs démocratiques serait perdre l'âme même d'Israël ! Voilà. Tu as dîné ?

– Non.

– Zut, je vais être obligé de t'inviter ! Un cauchemar !

– Merci. Ah, elle est belle et généreuse, la gauche israélienne ! Et elle s'étonne de ne plus être au pouvoir depuis 1977 ! Je me marre !

– Pas moi.

– Moi non plus, en fait !

Plus tard, à Paris, j'ai lu un bel entretien accordé par Jean-Christophe Attias au magazine *L'Express*...

Il évoquait le « phénomène de sionisation du judaïsme et de judaïsation du sionisme ». Il le regrettait en précisant : « De plus en plus d'esprits identifient le judaïsme au sionisme. [...] C'est très dommageable, pour l'un comme pour l'autre.[1] »

1. Jean-Christophe Attias, directeur d'études à l'École pratique des hautes études (Sorbonne), est un historien et philosophe du judaïsme.

Un journaliste à Jaffa

Proche, toute proche depuis trois mille cinq cents ans de Tel-Aviv qui n'existait pas vraiment encore, même en rêve, voici Jaffa la belle. Un peu trop reliftée disent, en catimini, les bougons, bannière sous laquelle je me range par intermittence. Non allez, dit le bienveillant que je suis aussi, Jaffa l'Orientale est juste maquillée comme une superbe odalisque. Jaffa la multiséculaire, ses anciens palais ottomans et ses ruelles pavées à l'ombre complice, son génial marché aux puces et son port bouleversant, on aime, on adore, et on en rend grâce aux dieux d'Orient et à l'office du tourisme local. Ce que je fais en saluant le journaliste d'origine française de l'excellente chaîne i24 avec lequel j'ai rendez-vous.

– J'aime trop Jaffa, je m'y suis perdu pour le plaisir et j'ai rêvé, un peu trop longuement, en contemplant Tel-Aviv d'en haut… Une vue admirable ! Pardon de mon retard !

– Pas de problème. Heureux de te connaître.
– Moi aussi !
– Je peux faire une demande liminaire ?
– OK.
– Appelle-moi Gaï et pas… ! Enfin, tu m'as compris, ne mets pas mon vrai prénom !
– OK.
– Ça tourne ? Tu enregistres ?
– Oui, Gaï… !
– C'est le peuple juif qui m'importe avant tout. Pas Israël. Enfin, Israël comme conséquence de la destinée du peuple juif !… Mais si le mouvement sioniste avait finalement décidé de créer un État juif en Ouganda, eh bien, j'y aurais émigré et je serais, sans aucun problème, à l'heure qu'il est, ougandais !
– Allons bon !
– Franchement, la raison pour laquelle, venant de France, j'ai fait mon alya à dix-neuf ans est, je pense, très différente de celle de l'ensemble de mes compatriotes. Dans leur démarche, il y a la volonté d'être « davantage » juif. Pas dans la mienne. Mon but était principalement de sortir du questionnement identitaire sans fin dans lequel je me débattais en France.
– Explique !
– Je n'ai jamais été, dans ma jeunesse, et ne suis toujours pas juif pratiquant, mais je suis devenu très tôt littéralement obsédé par tout ce qui touchait à Israël. Cela a pris une place énorme dans ma vie. C'était une obsession presque irrationnelle. J'ai essayé de tenter de comprendre et je suis arrivé à la conclusion que, en tant

que juif séculier, laïc, je ne voulais renoncer ni à ma judéité ni à mes valeurs universelles...

– Et ? Quel était le problème ?

– J'avais l'impression que, en France, on me forçait à choisir entre les deux. « T'es juif ou t'es français ? » Israël s'est imposé comme la réponse à mes questionnements : Israël est une société démocratique qui me permet d'accéder à l'universel en tant que juif.

– Pourquoi donc dis-tu que, en France, si je te comprends bien, tu ne pouvais pas tout à la fois « être juif et accéder à l'universel » ? Ça alors !

– Je prends un exemple. J'étais proche du PS, mais l'incompréhension, voire le rejet, du sionisme dans la gauche française m'était plus que difficilement supportable. Je ne voulais pas être « le » juif du PS.

– Honnêtement, et sans mettre en doute ton talent, tu n'aurais pas été le seul !

– Je sais ! Mais tu vois, en Israël, j'ai l'impression de respirer ! Je ne me sens plus obligé d'aller à la synagogue le jour de Kippour ! Ici, on peut, sans rien abdiquer, être tranquillement juif et laïc ! Je le suis. Et je suis vraiment citoyen ! Tous ces militants, en France, qui se disent « internationalistes », ça me fait marrer et ça n'existe pas ! On est toujours citoyen de quelque part ! C'est pour cela que je suis sioniste, parce que je ne suis pas simplement un individu réduit et cantonné à l'état d'individu, mais je fais partie d'un peuple, d'un morceau d'humanité bien défini !

– Comment s'est passée ton arrivée ici ?

– Quand je suis arrivé, j'avais vingt-quatre ans. J'ai fait l'armée puis cinq ans d'études. Un jour, à la fac, j'ai donné rendez-vous à un copain, un Français, qui venait d'arriver en Israël. On s'est promenés dans l'université et je lui ai expliqué comment ça se passait. On est allés à la cafétéria pour grignoter un petit truc. Avant d'avoir pu avaler la première bouchée, la bombe a explosé. Mon ami a été tué sur le coup. Et moi, j'ai été grièvement blessé. Par ailleurs, deux projectiles m'ont broyé les os de la jambe droite et j'ai eu une autre blessure à la poitrine. J'ai failli y passer car la balle m'a traversé le poumon et l'œsophage. Il y a eu neuf tués et quatre-vingts blessés. Mon copain s'appelait David. Mort à vingt-quatre ans, il venait d'écrire un mémoire sur un grand philosophe juif qui a été publié à titre posthume, pauvre David. Moi, je me suis tapé un mois à l'hosto suivi d'une année entière de rééducation. Cette histoire a renforcé mes liens avec Israël. Des gens que je connaissais à peine m'ont beaucoup, beaucoup, aidé. L'attentat a été paradoxalement, et de manière tragique, une sorte d'« accélérateur d'intégration »... Après ce triste épisode, je me suis marié avec une Israélienne, une vraie, issue d'une famille habitant le pays depuis neuf générations. Elle est psychothérapeute. On a trois filles, l'aînée a six ans, la cadette quatre et la benjamine un an et neuf mois !

– Bravo ! Tu as quel âge ?

– Quarante-quatre.

– Tu fais moins...

– On dit ça, en général, pour me faire plaisir !

– Je suis sincère. Politiquement, tu en es où ?

– Comme je suis journaliste, j'ai un devoir de réserve. Mais enfin… pour faire ce qui doit être fait, c'est-à-dire démanteler une bonne partie des colonies et des implantations, il faut une paire de couilles énormes et une grosse popularité. Le seul qui pouvait faire ça, c'était Sharon. Bon. Il est mort, comme Rabin est mort, et les nouvelles élites d'Israël sont de droite. Voilà la vérité. Il faut faire avec. Et avancer. J'avance. Parfois, la jambe me tiraille et me tenaille, comme le souvenir des morts qui m'ont entouré. Mais j'avance.

À l'armée

Je rencontre, dans un parc de Tel-Aviv, Ilan, un jeune soldat en uniforme.

– En France, j'avais plein de copains rebeus. Mais j'ai coupé le lien quand je me suis aperçu que je devenais pour eux un juif comme les autres, un « enculé », *sorry* pour le mot ! On est venus ici à trois de Paris, dont deux juifs. (Je t'expliquerai plus tard !) On était mi-mystiques, mi-nazes ! On suivait un programme « Massa », tu sais, ces initiations à la vie israélienne pour les bacheliers et les étudiants. Nous, on était volontaires pour des séries de stages et de visites dans tout le pays. Ça s'appelait « Vivre Israël au présent ». C'était génial. On a découvert le Tel-Aviv roots, underground, l'euphorie, la liberté. Magnifique ! On avait dix-huit ans et on se marrait avec des Israéliens hyper-cools. Côté mystique, moi, je vivais une sorte de rédemption...

– Carrément ?

– Carrément. Je me sentais si bien ici, je revivais. On m'accueillait à bras ouverts. Je me souviens du musée du Sionisme… C'était « mon » histoire que je découvrais. J'étais drôlement ému. Dans les rues, je me baladais, j'étais chez moi, entouré de gens différents, bien sûr, mais semblables.

– Tu m'as dit que vous étiez « trois, dont deux juifs ». Explique, s'il te plaît !

– OK. Y avait un faux juif avec nous. Un ami très cher qui s'est mis brusquement à porter la kippa ! « Mystique », je te dis ! Il a rencontré une juive française, dont il est tombé éperdument amoureux, et s'est converti ! Nous, à la fin du stage, on est repartis, lui, il est resté ici ! J'ai cru qu'il allait devenir rabbin !

– Incroyable…

– Mais vrai ! Quant à moi, je suis revenu en 2012, et j'ai fait mon alya. Puis je suis entré à l'armée en juillet 2015. Une unité spéciale. J'y suis toujours…

– Quel genre d'unité « spéciale » ?

– Je ne peux pas trop t'en parler. Disons une unité d'élite parachutiste… Cela a été pour moi une intégration rapide et radicale. Je ne parlais pas bien l'hébreu. Je n'ai pas eu d'autre choix que de m'y mettre. Marche forcée pour l'hébreu, marche forcée pour mes classes… Tout est rythmé, compté, millimétré au cordeau, tu as six heures pour dormir, pas une seconde de plus, et tu as sept minutes pour faire ta toilette, et hop, tu y vas, tu cours, tu cours tout le temps. On est cannés. Honnêtement, c'est hyper-long, les classes ! Le week-end, quand j'avais une permission, j'étais seul, je ne connaissais personne. Un début d'alya sous le signe de la solitude. Sans copains ni rien. Je me demandais ce que je foutais ici... Mais je me suis pris au jeu de l'armée, j'ai aimé ça...

Ilan regarde la lumière ambrée sur le parc. Les enfants qui jouent, rigolards, des amoureux, une douceur tendre. Il reprend, ému :

– Tu vois, Serge, à l'armée, je sens que je défends tout ça, ces enfants, cette vie-là... Je t'ai dit que j'étais, en arrivant, « mi-mystique, mi-naze », je le suis toujours. J'ai voulu rendre au pays le bonheur qu'il m'a donné. Et puis, maintenant, je me sens moins seul...

– Une copine ?

– C'est un peu « chaud » d'avoir une copine à l'armée. Y a des filles splendides, mais si tu te fais choper, gare à toi ! On n'arrête pas de te mettre en garde : « Pas de ça ici ! » Non, j'ai une relation ailleurs. Mais, bon, revenons au service militaire du « petit-Français-qu'a-fait-son-alya »...

– T'es pas si petit ! Tu es même vachement costaud !

– Thanks. Je fais partie d'une unité dite « combattante », la crème de la crème, pour un type comme moi qui n'étais pas spécialement « fana-mili » ! Les combattants dont je fais partie, c'est à peine 10 % des effectifs ! Être dans un bureau, c'est mal vu. Être dans l'« intelligence », ça, par contre, c'est bien vu ! Mais tais-toi, je t'ai rien dit. (Plus bas :) Mais oui, je suis dans le renseignement. Donc entouré de gars brillants, bon moral, bon mental, bonne famille et tous, ou presque, plutôt de gauche. Des gars chics, de la classe. Servir dans mon unité, c'est comme faire une grande école en France. Les connards vulgos se font tout de suite virer !

– Tu as le sentiment d'appartenir à une sorte d'élite ?

– Oui ! C'est curieux et très inattendu, pour un ancien gaucho comme moi. Je suis même instructeur en arts martiaux, spécialité krav-maga ! Il faut le savoir, à l'armée, dans ce genre d'unité, on se fait un réseau. Quand, au bout de trois ans, je partirai et retournerai dans la vie civile, je n'aurai aucun problème pour être embauché, comme mes copains soldats, fils de bobos et bobos eux-mêmes tout en étant des as du renseignement. Ça c'est, Israël ! Pas ce qu'on croit. Mieux que ce qu'on croit. Maintenant, j'ai des amis...

– Et une copine, donc ?

– Oui. Je suis même amoureux, pas mal pour un type qui était un grand solitaire. Mais...

– Mais ?

– Des amis à moi sont morts. Morts au combat. Beaucoup. Et j'ai pleuré tant et plus. Des snipers les ont abattus. Ils étaient à côté de moi. Des types que j'aimais tendrement. Des frères.

Ilan est très ému. Effet de cette lumière toujours ambrée mais plus douce encore sur son visage.

– Ils ont été tués alors qu'on était dans une galère pas possible... Dix-sept jours au combat, dix-sept jours sans se changer, dix-sept jours dans le bruit, dix-sept jours sans dormir, dix-sept jours dans l'odeur de la mort… Et leur mort… Je pense à eux, tout le temps. Quand je quitterai l'armée, je partirai avec Dina, la fille que j'aime, j'irai loin, très loin, un long, très long voyage au bout du monde. Je suis arrivé ici orphelin, j'irai me marier, civilement, à Chypre. Et je ferai des enfants, une tripotée de petits Israéliens. Je t'ai dit que j'étais orphelin de père et de mère ? Je les ai à peine connus. C'est comme si Israël m'avait adopté. Mais je m'en sortirai ! Là où ils sont, mes parents, ils seront fiers de moi !

– Salut, petit frère !

– Salut, Serge.

Retour au kibboutz

Bientôt, il me faudra revenir en France. Et transcrire et trier les dialogues enregistrés. Bientôt, mes amis d'un jour ne seront plus que souvenirs. Ils s'estomperont. Leurs visages seront progressivement gommés. Mon « ardoise magique » efface les contours de celles et ceux que j'ai croisés et, du même coup, m'efface aussi. Amnésique ? Non, pas encore... Mais tous ces oublis me chagrinent, moi qui ai tant exalté, entre films et romans, les mémoires du monde, et tenté de faire revivre la mémoire des miens disparus, au point de devenir une sorte de gardien de musée d'un type singulier : le mien.

Alors, avant de partir, je veux revenir à mon point de départ : le kibboutz Regavim. Celui des étés de mon enfance en Israël.

*
* *

Les kibboutzim : on y venait, de par le monde, s'incliner avec admiration devant ces « juifs nouveaux » qui redonnaient, alors, sa fierté à un peuple meurtri, décimé, celui de l'après-Shoah. Ils avaient su, eux, les enfants des shtetls[1] ou, ici, des mellahs[2], construire le modèle d'une société « socialiste » et égalitaire. Et en ces temps anciens, ces mots ne faisaient ni peur ni sourire. Et moi, le frêle dépositaire des nouveaux chagrins de mon orphelinat, j'enviais ces gosses rieurs, porteurs de kova-tembel[3] bleu et blanc, qui vivaient parmi les orangers. J'ai dû, aussi, avoir une passion secrète, mais envahissante, pour une petite fille de mon âge fraîchement et franchement délurée, qui avait déjà des seins, certes encore modestes, mais tout à fait bouleversants et prometteurs.

Je suis donc revenu à Regavim. Et y ai retrouvé les vieux camarades ou haverim des alyot francophones du temps jadis : Asaf, Meyer, Ilana, Gad, Yaacov, et les autres. Séquence nostalgie. La scène se passe dans le salon, robuste et confortable, d'une petite maison de ce village, plutôt cossu, qu'est devenu le kibboutz. J'écoute Gad, quatre-vingt-douze ans, mais toujours

1. Petites bourgades juives d'Europe centrale.
2. Quartiers juifs des villes du Maghreb.
3. Bobs des pionniers qui les protégeaient du soleil ardent.

bon pied, bon œil, à la manière de ces pionniers qui me faisaient rêver jadis :

Gad : Je suis arrivé ici en 1945. Juste avant, en 1942, les Allemands avaient envahi la Tunisie et nous, les juifs, on était requis pour aller dans des camps de travail. Je faisais du sport, j'étais solide.

Moi : Tu l'es toujours.

Gad : Tais-toi, menteur !

Moi : Bon. Mais je ne suis pas un menteur !

Gad : J'ai été très vite sélectionné, hélas pour moi, par les Boches. On m'a donné des fringues de prisonnier avec l'étoile jaune collée dessus. Et allez ! Marche ! Encadré par des SS qui ne plaisantaient pas ! Notre convoi de prisonniers est passé rue d'Athènes… Tu te souviens de la rue d'Athènes ?

Moi : Bien sûr, c'était en plein centre de Tunis !

Gad : Exact. Les gens, sur les trottoirs, se foutaient de notre gueule, et criaient : « Sales juifs ! » Oui, Serge : « Sales juifs ! » Beaucoup d'entre nous sont morts… Soit à cause des bombardements alliés, soit à la suite des mauvais traitements. Ils nous fouettaient, on avait rien à manger ou à boire. Quelques mois après, ces salauds de nazis, et leurs copains de Vichy, ont filé comme des lapins ! Et les Américains sont arrivés ! Alors, mes camarades et moi, on a créé un mouvement : « La Jeunesse de Sion »… et on a fait une promesse solennelle : celle d'émigrer en Israël aussitôt que nos chefs nous en donneraient l'ordre. C'est comme ça que je suis parti avec le premier groupe, en juillet 1944, pour préparer l'arrivée des suivants ! Regavim, « Mottes de terre » en français, c'était le nom de mon groupe. Pour moi, Israël, c'était le kibboutz, et, le kibboutz, c'était Israël. Indissociables. Mon idéologie était solide et profonde. On a obtenu cette terre, la nôtre, celle où tu es venu petit, celle où l'on se rencontre aujourd'hui. Cette terre, on l'a pas volée. À personne. On l'a achetée. On avait de très bonnes relations avec les Arabes du village d'à côté (Kfin Kara). Je peux même te dire que pendant la guerre du Kippour (en 1973), ils ont travaillé ici parce que nous étions tous partis à l'armée et juste pour nous aider ! Superbe ! On y croyait ! Fraternité !... Socialisme !

Meyer : Le mouvement sioniste-communiste était une réponse à tous nos problèmes : création d'un État, croyances socialistes de l'époque ! Moi, tu vois, j'étais un juif un peu plus que socialiste : j'avais la même moustache que Staline !

Asaf : Je suis arrivé ici en 1952. C'était dur, mais magnifique. De belles années ! Mais, en 1991, nous n'étions plus que cent onze camarades. Et notre âge moyen était de cinquante-huit ans ! Plus de naissances. Plus rien. Très grave problème démographique. Et économiquement, je te dis pas !... Ce qui a suivi a été une véritable tragédie idéologique.

Un temps. Asaf, le tendre costaud qui m'avait accueilli au kibboutz en 1958, reprend :

Asaf : Progressivement, il n'y a plus eu d'égalité réelle entre les membres. À chaque génération, il y a eu de grands changements. On a privatisé le système éducatif. Dans les années 1990, on a même commencé à « privatiser la bouffe ». Résultat : on a cessé de manger tous ensemble au réfectoire ! Et les gamins n'habitent plus, depuis belle lurette, dans la « Maison des enfants », où tu dormais et que tu as bien connue !... On ne croit plus en rien. À part au fric. Le socialisme, ça coûtait cher ! Et il fallait des idéalistes pour le faire vivre ! L'égalité est morte !

Ilana : Oh, n'exagère pas, Asaf ! Souviens-toi, il y avait de grandes différences entre les haverim. Certains se donnaient à fond et d'autres tiraient au flanc, glandaient. Et au nom de notre culte de l'égalité, les fainéants « recevaient » autant que ceux qui bossaient de la part des dirigeants du kibboutz. Et même plus, parce qu'ils osaient demander et demander plus pour tout : les vacances, les voyages, l'éducation, les vêtements, les voitures... L'utopie, c'est bien, mais entre personnes vertueuses ! De toute façon, cette utopie-là, comme les autres, n'existe plus !

Asaf : Le rêve s'est déchiré. On est passés des « laboratoires du monde nouveau » à ce que l'on appelle aujourd'hui pudiquement les « kibboutzim du renouveau ». Maintenant, il y a des salaires et on fait travailler des gens de l'extérieur ! Comme à l'usine de Degania, le premier kibboutz d'Israël, que tu as filmé[1] !

1. *Le Septième Jour d'Israël... Un kibboutz en Galilée*. Un film de 90 minutes (1998) pour Arte, réalisé en collaboration avec l'excellente Ruth Zylberman.

Moi : Oh oui, tu parles que je me souviens de Degania Aleph. Il a été créé en 1910 ! J'avais rencontré le « patron » de l'usine du kibboutz.

Asaf : Un certain Shlomo, non ?

Moi : Oui ! Un type de France… Il m'avait raconté que son père, un hyper-militant de gauche, un ancien du kibboutz, avait même refusé de visiter l'usine. Pour lui, le ver était dans le fruit. Un patron, des employés, une horreur ! Shlomo lui avait répondu que c'était « la fausse égalité qui [était] injuste » ! On imagine le débat… Shlomo m'avait dit, si je me souviens bien, que là-bas, à Degania, ils étaient capitalistes dans la journée et socialistes dans la soirée. Mais pour rester de vrais socialistes le soir, ils devaient être d'excellents capitalistes le jour ! Alors ils faisaient travailler des Arabes de la région que l'on pouvait virer si cela ne se passait pas bien, contrairement aux haverim du kibboutz ! Mais revenons ici, à Regavim…

Ilana : Ouais… Je me souviens, lorsque quelqu'un recevait une lettre, pour pas que cela fasse de la peine aux autres qui n'en avaient pas eu et qui pouvaient en être jaloux, on la lisait à voix haute ! Tout le monde était au courant des joies ou des malheurs de chacun et chacune. Des peines de cœur, aussi. Ici, on se mariait peu. On était pour l'union libre et on en était fiers.

Gad : Tout ça est mort…

Asaf : Les dernières immigrations sont tout sauf idéologiques ! Les Français qui arrivent, ces temps-ci, me font rire.

Moi : Pourquoi « rire » ?

Asaf : Je leur demande : « Qu'est-ce que tu vas faire ? » Ils me répondent : « J'en sais rien, je trouverai ! On achète un appartement, et après on verra. » Avant, il fallait, au moins, apprendre la langue, c'est même plus la peine ! T'es russe, tu restes entre Russes. T'es français, tu restes entre Français. Il n'y a pratiquement plus d'arrivées en Israël par conviction ! C'est pour ça qu'on est dans la merde ! Parce que tu as une masse de gens qui ne sont pas venus par engagement sioniste, mais à cause d'une supposée « tragédie personnelle » !

Yaacov (un autre haver des origines, toujours militant de gauche) : Aujourd'hui, je me sens minoritaire dans mon pays ! Israël est devenu un pays où des « barbus » sont au service d'un libéralisme déchaîné ! Bibi et ses mecs ne s'intéressent qu'aux start-up et ne veulent pas d'emmerdes ! Alors, vive le fric ! Si tu dis que tu souffres pour les Arabes, tu passes pour un traître ! T'as le droit de souffrir pour quelqu'un, sauf s'il est israélien ! Et attention, faut pas qu'il soit de gauche ! Oui, je me sens minoritaire en Israël et je me sens proche des autres minorités : Arabes, Palestiniens ! Aïe, je vais me faire lyncher ! Les extrémistes arabes d'Israël, c'est nous qui les avons, involontairement bien sûr, fabriqués. Avant 1967, les Arabes, c'étaient des gens tout à fait « normaux », on pouvait se parler, blaguer et tout. On aurait pu faire quelque chose ensemble. Mais là, c'est trop tard ! Comme a dit le maire de Tel-Aviv, un travailliste que je connais bien : « Nous sommes sans doute le seul pays au monde qui occupe un autre pays et n'accorde au peuple occupé aucun droit civique. Vous ne pouvez pas maintenir les gens dans une situation d'occupation et espérer que tout va aller bien ! Personne n'a le courage de faire un pas pour tenter d'arriver à une sorte d'accord[1] ! » Alors, oui, la haine est inévitable... Occupation contre attentats... La haine est non seulement inévitable... mais réciproque !

Asaf : Oui... C'est la sécurité qui commande partout ! Je te donne un exemple : les Arabes, ils ne peuvent pas être ingénieurs, même s'ils ont fait de brillantes études, parce que les industries travaillent pour l'armée, et un Arabe ne peut pas travailler pour l'armée ! Par contre, il peut être chirurgien ! Et tu lui confies ta vie ! D'ailleurs, les hôpitaux sont pleins de médecins et d'infirmiers arabes ! Ils ne gênent personne, à part des fascistes totalement cinglés ! L'armée ? Avant 1967, nous, on avait une armée dite de « défense ». Au fur et à mesure, tu t'aperçois que de soldat tu deviens flic, et ton armée, elle ne sert plus qu'à occuper la terre des autres et à y faire la police au service des colons ! Tout pourrit. Il faut sortir de là au plus vite ! Moi, j'étais dans les paras. Réserviste, même. J'ai fait deux guerres, on en fait tout le temps, et tu ne sais ni pourquoi ni comment !

---

1. Ron Huldai, maire de Tel-Aviv, est un membre important du Parti travailliste. Il fut pilote de chasse et officier supérieur de l'armée de l'air israélienne.

Yaacov : C'est avec l'intifada que tout a changé. Avant, je ne me rendais compte de rien lorsque je rencontrais des Arabes. On pouvait être copains... Puis, soudain, nous nous sommes retrouvés, eux et nous, visage contre visage, un souffle seulement nous séparait. La peur se lisait sur leurs visages. La haine, aussi. Et cette question : « C'est lui ou c'est moi. » Une question pas théorique. Une question de vie ou de mort.

Moi : À Degania, toujours, pardon d'y revenir, un haver de Paris nous avait raconté, à Ruth Zylberman et à moi, qu'un de ses fils, Yaron, était allé faire une période de réserve à l'armée. Il patrouillait en jeep dans la casbah de Naplouse. Un énorme bloc de pierre est tombé sur eux, juste à côté de lui ! Les soldats ont eu très peur... Ça aurait pu les tuer, les fracasser. C'est la jeep qui a trinqué ! Avec un autre soldat, ce garçon, Yaron, a couru sur le toit d'où avait été jeté le parpaing. Là, ils ont trouvé deux enfants, deux gamins, quatorze ans, peut-être. Ils les ont attrapés et ils ont commencé à les battre en leur donnant des coups terribles. Il a réalisé qu'il ne *pouvait* ni ne *pourrait* plus s'arrêter, plus jamais ! Et, brusquement, il s'est dit : « Qu'est-ce que je suis en train de faire ? Qu'est-ce que je fais ? » Ils ont laissé filer les gamins, en sang, qui pleuraient toutes les larmes de leur corps. Après des trucs comme ça, tout est foutu.

Yaacov : La haine entraîne la haine. La peur entraîne la peur. En Israël, ton attitude change vis-à-vis des Arabes qui travaillent dans les restos ou qui font des travaux dans ta maison, des peintres, des plombiers, qu'est-ce que je sais, moi ? Tu te méfies sans arrêt. Un Arabe, c'est forcément un terroriste, n'est-ce pas ? Toute la mentalité du peuple change.

Michal (qui s'était plutôt tu jusque-là) : Ça sert à rien de pleurer. Israël est jeune encore... Ça va bouger. Ça va changer. Alors, bye-bye, les kibboutzim ou les mochavim ! C'est une « bonne adresse du passé », comme on disait, dans le temps, à la télé française. Le gouvernement met de l'argent dans l'alya et pas ailleurs !

Asaf : Et s'il fait ça, c'est pour être bien avec les gens des villes et les nouveaux émigrants qui n'en ont rien à faire de nos rêves d'avant ! Vive la privatisation partout ! Et si des ouvriers se mettent en grève, on va trouver une compagnie chinoise et elle reprendra l'affaire ! On est passé de 80 % de syndiqués à 20 % ! Et le Code du travail n'existe plus ! On licencie comme on veut ! Quand les médecins emmerdent Bibi, il en fait venir d'Inde. Ils sont bons et moins chers. Tout est à l'avenant ! Et tout sera à refaire, si on arrive à revenir au pouvoir !

Annie : Moi, ils ont bousillé mon passé et mes rêves ! J'ai d'autres choses à transmettre à mes enfants que la tradition juive ! Y a pas que ça dans la vie ! Aujourd'hui, il y a une recherche hystérique du « juif biologique » ! Le dernier à avoir eu cette obsession, c'est Hitler ! Pathétique ! Pourquoi ? Pourquoi ça ?

Un temps. Un silence. Marco Sarrabia, un autre haver, a rejoint notre groupe. Il vient d'un autre kibboutz, nommé Tzova. Il a écouté ses amis de Regavim, puis s'est décidé à prendre la parole :

Marco : Mon kibboutz, aussi, a été en partie privatisé, mais moins qu'ici tout de même ! Chez moi, l'économie est restée au service du social ! On a une caisse commune, et on donne un budget à chaque famille, le même, selon le nombre d'enfants, etc. Le seul facteur de différence, c'est l'ancienneté. Par contre, il n'y a pas de différence de salaire entre le P-DG de l'usine du kibboutz et le cuisinier. Moi qui suis « ouvrier », je suis l'égal du patron ! Et ça tourne ! On est tout et à tour de rôle ! On ne peut donc pas se fâcher ! Primo, avec le patron qui sera un jour ouvrier, on a grandi ensemble. Deuzio, sa sœur sortait avec mon beau-frère. Et tertio, sa fille était la petite amie de mon fils ! (Rires.) Parfois, c'est vrai, j'ai envie de lui dire, à mon « patron » : « Casse-toi, pauvre con ! » comme l'avait fait Sarko à je ne sais plus qui, mais non, c'est impossible au kibboutz ! On reparle politique, Serge ?

Moi : Si tu veux.

Marco : La droite a investi les institutions sionistes du monde entier. Toutes les « valeurs » idéologiques de droite ont pris le pouvoir, et elles sont les seules que les gens qui font leur alya entendent. Il faut contre-attaquer. Si la gauche israélienne reprenait le pouvoir qu'elle a perdu en 1977, elle ferait changer le ton général du sionisme mondial. Pour l'instant, on est à la limite du racisme ! Tout le fric va aux assos de droite, et, bien sûr, aux colonies des Territoires occupés ! On a perdu le contrôle. Il faut le reprendre.

Moi : Tu as quel âge, Marco ?

Marco : Cinquante-six. Je pense que je verrai la paix. Pendant les accords d'Oslo, on était pas prêts. Les Palestiniens non plus. Les choses ont évolué. Quand je suis arrivé en Israël, quand tu parlais avec un Palestinien, tu te retrouvais en prison, faut pas oublier ! Tu imagines l'évolution ! On est mûrs, maintenant, pour la paix ! Ce fou de Bibi nous a intoxiqués ! Il n'a aucun plan à long terme. Il suffit qu'il agite le drapeau de l'Iran, du Hamas, du Hezbollah, ou, pire encore, du Jihad, pour se faire élire ! À chaque attentat ici, il gagne des voix ! Et les Français juifs le suivent comme un seul homme ! La droite nous a tout piqué ! Même le patriotisme ! Quelle mascarade, alors que, dans l'armée, il y a beaucoup plus de gens de gauche que de droite ! Les unités d'élite sont à gauche, chez les pilotes, autrefois, on ne trouvait pratiquement que des fils de kibboutznikim ! Il faut rappeler que nous, la gauche, on aime le pays bien plus que la droite, qui n'aime que le fric, la guerre, et la domination sur les Arabes !

Asaf : Allez, on boit tous un coup ? On lève notre verre ! Au kibboutz !

Tous : Au kibboutz !

Gad et Marco : À la paix !

Tous : À la paix !

On s'embrasse. C'est chaud. C'est fraternel. J'aime mes haverim retrouvés. Parfums et effluves d'hier.

Mais peut-être aussi espérances de nouvelles utopies pour les temps nouveaux.

J'ai rencontré l'Israël d'aujourd'hui. Son alya. Mais j'ai aussi croisé un Israël, pour l'heure, « minoritaire ». Qui peut, comme le disait Olivier Rafowicz, prédire l'avenir ? Pas moi, en tout cas.

Demain, je reprends l'avion pour Paris. Dernière soirée avec Laurie. Bisous en grappe. Émotions en rafale. Elle rêve à son mariage tout proche. Elle sera superbe. Et ce sera gai, très gai.

En guise d'épilogue. Retour en France. Et retour sur soi

Aéroport de Lod. Une longue file d'attente. C'est à la fois hyper-sécurisé mais peu fiévreux. Une jeune fille, dont je pourrais être l'ancêtre, me pose des questions d'un ton charmant et faussement badin :

– Ça va ?

– Ça va.

– Quelqu'un vous a aidé à faire votre valise ?

– Non.

– Personne ?

– Personne.

– Vous avez rencontré des gens sur la route entre chez vous et l'aéroport ?

– Non.

– Vous habitiez où en Israël ?

– J'étais à l'hôtel. À Tel-Aviv.

– Quel hôtel ?

– L'hôtel Yaarkon.
– Vous étiez là pour le travail ou pour du tourisme ?
– Les deux.
– Comment ça, les deux ?
– C'était du travail... Un livre... Je veux comprendre pourquoi beaucoup de juifs de France viennent vivre en Israël.
– Parce que c'est leur pays. Vous êtes juif ?
– Oui, un peu.
– Comment ça, un peu ?
– Un peu. Je ne vais jamais à la synagogue.
– Moi non plus. Et ça n'a pas d'importance.
– Ah bon. Remarquez, c'est vrai.
– Au revoir, bon voyage.
– Merci. Je reviendrai.
– Quand vous voudrez.

Petit matin. Arrivée à Roissy, ce 13 novembre 2015. Je regarde mon smartphone. Il y a eu de terribles attentats. L'un est particulièrement épouvantable au Bataclan. J'appelle d'urgence ma femme : tout va bien ? Et les enfants, dont les cafés familiers ont été « rafalés » et qui habitent tout près, dans le 11e arrondissement ? « Ça va ?... Ça va ? – Ça va ! Je te raconterai ». Il faut écourter la conversation car me voici devant le monsieur de la PAF. Éternelle remarque :

– Tiens… monsieur… Vous vous appelez « Henry » ? Ça alors ! Je croyais que vous étiez Serge… Serge Moati, c'est ça, non ? Je vous voyais avant, il y a longtemps, à la télé, le dimanche…

Ce n'est pas le moment !… Je n'ai pas envie, là, de faire un long développement sur mon histoire personnelle.

– J'ai deux prénoms. Un vrai, Henry, et un pseudo, Serge. Enfin, c'était le prénom de mon père ! Monsieur, s'il vous plaît, vous savez combien y a eu de morts, hier ?

– Beaucoup, beaucoup, à l'heure qu'il est ! Atroce.

– Atroce.

Des jours et des jours passent. Je suis hébété, sidéré. Vite, je tourne avec mon jeune copain Yoann Gillet un film sur l'état d'urgence, décrété par François Hollande, à la suite du massacre du Bataclan. Face à cette « guerre qui nous a été déclarée », la France, son armée, ses forces de l'ordre se mobilisent. Des milliers de perquisitions, des centaines d'assignations à résidence, et une forte présence d'hommes armés dans les gares, le métro, les aéroports et jusqu'aux frontières. Des images que l'on croyait oubliées sont de retour. On râle un peu mais on comprend, et on s'y fait, tout en s'empêtrant dans un débat stérile, mal mené sur une symbolique et vaine déchéance de nationalité… On n'en parlera plus. Par contre, l'état d'urgence sera reconduit et reconduit.

*
* *

Le film à peine achevé, je tente de trier et transcrire les centaines d'heures d'entretiens effectués en France et en Israël. Lourde tâche, peuplée des visages de celles et ceux, anciens ou nouveaux olim d'origine française, qui ont eu la gentillesse de me parler des raisons de leur alya et de leur vie en cette nouvelle patrie qu'ils ont choisie. Ils ont répondu à mes questions et leurs réponses m'ont questionné. Au plus profond. Un mot revenait sans cesse dans leurs propos : l'identité. La leur. La juive, bien sûr, exaltée, fortifiée, encensée, primordiale. Quant à moi, j'opinais du chef, mais je me dois, je vous dois, la vérité : moi, je ne suis pas sûr de mon identité. Je sais, en tout cas, qu'elle n'est pas réductible, unique. Elle est diverse, multiple. Je devrais en parler au pluriel… Mes identités ? Est-ce le signe d'une fatale pathologie qui ne manquera pas de m'emporter ? Suis-je un grand égaré ? Une sorte de millefeuille sur pattes, ou plutôt un oignon ? Oui, ce légume cher aux grands Ibsen, Freud et Lacan, cet oignon riche de ses pelures accumulées comme autant de couches d'identités successives ? Je repense à ce chef-d'œuvre qu'est *Peer Gynt*. Là, le héros d'Ibsen se demande, justement, en pelant un oignon :

C'est quoi être soi-même… ?

… Et finit par proposer cette réponse :

Jusqu'au plus intime de l'intime, tout n'est que pelures…

*
* *

La tête me tourne. Pour me changer les idées, j'ouvre, par hasard (?), un ouvrage du grand Charles Péguy. Et, hasard des hasards (?), je « tombe » sur un texte du maître consacré à qui ? Aux juifs ! Ils me poursuivent. C'est une fatalité.

Je vous le cite :

Je connais bien ce peuple. Il n'a pas sur la peau un point qui ne soit pas douloureux, où il n'y ait un ancien bleu, une ancienne contusion, une douleur sourde, la mémoire d'une douleur sourde, une cicatrice, une blessure, une meurtrissure d'Orient ou d'Occident.

Le grand poète au « dreyfusisme » quasi mystique, le chrétien incandescent et ami de ses frères juifs me bouleverse. Mais moi, qui ne suis pas un capitaine injustement dégradé, je me dois de lui déclarer ceci : mes « meurtrissures » ont, aussi, cher maître, d'autres origines. Je n'oublie certes pas la supposée fuite d'Égypte de mes supposés ancêtres, et encore moins le réel camp de concentration où a été déporté mon vrai père. Comment les oublier ? Mais je dois à la vérité d'avouer que mes susdites « meurtrissures » ont aussi des origines qui n'ont franchement que de lointains rapports avec le destin du peuple juif. Prenons un exemple : mes douleurs d'hypocondriaque patenté sont innombrables, et n'ont rien de judaïque, et mes anciennes « contusions » viennent plutôt de sciatiques et cruralgies répétées tout à fait laïques, alors que ma « douleur sourde », et surtout, « ma mémoire d'une douleur sourde », viennent, j'en suis certain, du double orphelinat de mon enfance.

Et pourtant, permettez-moi, cher maître, une double confession, comme pour apporter, à l'aide de ces modestes contributions, de l'eau de vie, bien sûr cacher, au moulin de votre belle assertion toute catholique.

Tunis, années 1950. J'avais sept ans. *Annus horribilis*. J'étais alors juif, mais comme je respirais, sans m'en rendre compte. Et cela me laissait, disons-le, totalement indifférent. J'étais raide dingue d'amour pour une Monique, une grande de huit ans, brune et pourtant blonde, avec des nattes, une petite jupe plissée et des souliers vernis. Une grâce de ballerine faisait rêver celui qui se prenait pour un futur danseur étoile : moi.

Un jour, la belle m'a susurré, sucrée et navrée :

– Il ne faut plus qu'on s'aime.

– Hein ?

– Il ne faut plus qu'on s'aime. T'es sourd ?

– Non. Et pourquoi ?

– Parce que tu vas aller en enfer.

– Hein ? Et pourquoi ? Et c'est quoi, l'enfer ?
– L'enfer, c'est là où vont les juifs.
– Pourquoi ?
– Arrête de dire « pourquoi » !
– Oui, mais pourquoi je vais aller en enfer ?
– Parce que tu es juif.
– Et alors ?
– Tous les juifs vont aller en enfer. C'est comme ça.
– Pourquoi « c'est comme ça » ?
– Parce que tu as tué Dieu !
– Moi ?
– Oui, toi ! Et si tu es mon amoureux, j'irai moi aussi en enfer. Alors, salut.
– Salut...

Et elle est partie. Jolie ballerine à la jupe légère. Je suis resté seul. Et bête. Et tout triste. Si le ciel feignait d'être obstinément bleu tunisien, le fond de l'air, lui, était du côté du drame des origines dont l'enfant au cœur sec ne se souvenait même pas. Non seulement je perdais Monique, mais j'étais un assassin amnésique. Je suis rentré à la maison. Papa, qui rédigeait son article quotidien pour *Tunis socialiste*, m'a vu arriver, ravagé. Je lui ai dit, dans un souffle :

– Dis, papa, c'est vrai que je vais aller en enfer parce que j'ai tué le bon Dieu ?

Silence. Égarement. Je reprends :

– Dis, papa, c'est quoi, l'enfer ?

Il faut imaginer le papa juif, avec ses lunettes toutes rondes, sa chemise trempée de sueur et cette pièce sombre dans laquelle il tentait d'écrire son éditorial à l'heure de la sieste. Je lui arrachai un :

– Qui t'a dit ça ?

– Monique…

– C'est une petite sotte. C'est pas grave.

Tu parles ! Pas grave ? J'ai tué Dieu et c'est pas grave ? Bravo, jolie mentalité ! Je pleure à outrance. Il me prend sur ses genoux. Si je pouvais, je sucerais mon pouce, mais je suis grand, j'ai sept ans. Et il me parle. Et il me raconte. Pas évident d'être juif, honnêtement.

– Moi aussi, j'ai eu des ennuis.

– Toi ?

– Oui, moi. Tu sais, c'est toute une histoire !

– Raconte encore.

– Bon… Je suis allé… en camp de concentration…

– Quoi ? Tu es allé en… quoi ?

– Là où on met des prisonniers… Mais c'était très, très sévère ! En Allemagne, j'étais…

– Qu'est-ce que t'avais fait ?

– Rien.

– Parce que t'étais juif ?

– Oui. Enfin, pas seulement… Je te raconterai…

– Toi, papa, tu es allé en enfer ?

– Oui. Mais j'en suis revenu. Tu vois, je suis vivant !

L'enfer. Sur la terre. Pas celui promis par Monique où je devais aller brûler pour l'éternité. Mais un sacré enfer, tout de même. J'entends, entre deux sanglots, que six millions de juifs, comme moi, sont morts dans ces camps. Mauvaise nouvelle. Grande journée de mes sept ans. Terrifiantes révélations : je comprends qu'il y a des « gens » qui ne nous aiment pas. Mais alors pas du tout ! Allez savoir pourquoi ! Et parmi ces gens-là, il y a Monique, mon ex-amoureuse. Je (re)pleure. Papa me dit :

– Pleure pas, mon chéri… Je suis là… Y a de vrais Français, gentils et tout ! Et des faux ! C'est les faux qui m'ont livré aux Allemands parce qu'ils étaient à leur service ! Tu comprends ?

– Pas beaucoup… Alors, Monique, c'est une fausse Française ?

– Oui, peut-être. Elle est surtout un peu bébête… Et elle voulait, peut-être, te faire bisquer !

Bref. Ce jour-là, j'ai à peu près compris qu'être juif, c'était une super-singularité, une sacrée fatalité de naissance, qui ne pouvait que t'attirer de sérieux ennuis, voire pire. Pas de chance d'être juif dans un monde peuplé de Monique et de faux Français[1], de tracas amoureux et de camps de concentration. Des milliers et des milliers d'enfants ont, ainsi, comme moi, appris qu'ils étaient juifs. Et que ce n'était ni bien ni facile. Au détour d'une phrase cruelle, d'un regard, d'une insulte. En Tunisie jadis. En France

1. Avis au lecteur : naissance, à ce moment précis, d'une notion imprécise. Il y aurait de vrais Français. Et des faux Français. Les vrais Français, on les aime et ils nous aiment, nous, les juifs. D'ailleurs, nous, on est des vrais Français. Ce sont des patriotes, voire des héros. Les faux nous détestent, nous promettent l'enfer. Et nous y envoient. Comme ceux qui ont fait du mal à papa.

aujourd'hui. Révélation brutale d'une malencontreuse différence.

Plus tard, à Paris, à la fin des années 1950, et après la mort des parents, l'appellation « juif » me parut être une sorte d'insulte. J'en avais honte. Comme d'une obscénité impudiquement affichée. Je n'aimais pas sa sonorité. Elle me semblait sifflante comme celle que fait le serpent furtif, « juiffffff ». Et ça se disait tout bas. Ça se chuchotait. Ça se cachait. Orphelin *et* juif, c'était trop ! Je voulais être comme les autres : avec des parents, et pas juif. Je mentais tout le temps. À défaut de faire revenir les morts, je m'inventais de faux parents et tentais d'enfouir le juif au plus secret de moi pour le bâillonner. Seul mon sexe circoncis témoignait de l'étrangeté de mon état. Je me souviens du pensionnat parisien du lycée Michelet, et de l'heure de la douche, que je redoutais tant. J'imaginais, comme dans un mauvais cauchemar, les lazzis et les ricanements amplifiés de mes petits camarades, à la découverte de mon zizi-pas-comme-les-autres ! J'étais marqué. Ils allaient « le » voir. Et, hélas, ils « l »'ont vu. J'ai, alors, prétexté, en bafouillant, la mesure hygiénique (!), l'opération médicale (!). Mais j'étais démasqué. Je ne suis plus retourné à la douche. J'étais différent. J'étais juif. Et, en plus, je commençais à sentir mauvais. Cette anecdote réjouit et conforte-t-elle Péguy au paradis où, sûrement, il campe ? « Meurtrissure d'Orient ou d'Occident », « douleur sourde, mémoire d'une douleur sourde, une cicatrice, une blessure… » Sacré Péguy !

Second (et donc ultime) souvenir. Celui-ci est plutôt drolatique et je ne résiste pas au plaisir de vous le raconter : je venais ce jour-là, en août 1981, d'être nommé patron de France 3. J'avais trente-cinq ans. Il faisait une chaleur torride et j'avais décidé, tout seul, d'aller à l'heure de l'apéro fêter l'événement au café Les Ondes, juste devant la Maison de la Radio. J'avais commandé un lillet rosé. J'explosais de contentement, j'exhalais par tous les pores de ma peau une sorte de jubilation stupidement ostentatoire. Mais tant pis : l'orphelin prenait sa revanche. Mes humiliations et mes gros chagrins d'enfance, ce jour-là, avaient été balayés. Et personne, alors, fort heureusement, ne pouvait me reconnaître, ayant toujours exercé mes modestes activités derrière la caméra et encore jamais devant. Deux gars étaient, par le plus funeste des hasards, accoudés au bar, près de moi. L'un dit à l'autre :

L'un : Tu as vu qui ils ont nommé chez nous ? C'est la meilleure !

L'autre : Oui, Moati, je sais !

L'un : Tu sais qui c'est ?

L'autre : Un copain à Mitterrand !

L'un : Non, je te parle d'autre chose !

L'autre : Accouche !

L'un (bas) : C'est un juif !

Un temps… Un vrai temps. L'un est saisi par l'effrayante ampleur de l'annonce dont il est le porteur. L'autre est stupéfait, voire incrédule. Il réagit tout de même :

L'autre : Arrête ! Arrête avec tes conneries ! Moati, juif ? Tu vois le mal partout !

Ils rient. Pas moi. L'histoire est vraie, au mot le mot, et elle continue :

L'un : Levaï, Elkabbach, Amar, Nahon, Benyamin, et maintenant Moati ! Bonjour, les dégâts ! Tant qu'ils y sont, ils devraient présenter le journal avec une kippa ! Ce serait plus clair !

L'autre (hébété) : Ça alors !

L'un (avec le calme bourru que l'on prête, dans certains westerns, aux vieux cow-boys) : Allez, on y va ! Je voulais pas te casser le moral...

Ils partent. Riant encore. Et moi, toujours pas. Je ne dois pas être normal. Seul Charles Péguy, toujours lui, m'avait compris : j'avais, sûrement, des « contusions », et peut-être bien, allez savoir, des « meurtrissures ». Tout ça est la faute des juifs, n'est-ce pas, pensent les antisémites à la suite, abâtardie, des grands Rousseau et Voltaire, que l'on a vus et lus plus clairvoyants :

Ainsi, Voltaire :

Cette nation [*juive*] *est la plus détestable qui ait jamais souillé la Terre.*

Ainsi, Rousseau :

Pour empêcher que son peuple ne se fondît parmi les peuples, Moïse lui donna des mœurs et des usages incompatibles avec ceux des autres nations

[...]. *Cette singulière nation si souvent dispersée et détruite en apparence, mais toujours idolâtre à sa règle, s'est pourtant conservée jusqu'à nos jours, éparse parmi les autres, sans s'y confondre.*

Nourriture cacher, fêtes « spéciales » et circoncision pour démarrer dans la vie ! Merci, Rousseau : quel barda, tu as raison ! Combien de fois, ces derniers temps, ai-je entendu et filmé ce genre de propos, érigés en quasi-théories tout à fait oiseuses, justifiant cet antisémitisme qui est le dernier refuge des imbéciles et la consolation des ratés. Mais tout le monde n'est pas Rousseau ou Voltaire. Soyons clair, la petite Monique qui m'avait promis l'enfer, les gamins de la douche qui se moquaient de mon zizi circoncis, les deux gars du bistrot, auxquels il convenait d'ajouter les récits, pourtant « soft » et livrés au compte-gouttes par mon père de sa déportation due au zèle anti-juif des « faux Français » de Vichy, oui, tout cela mêlé n'a jamais eu pour effet de me faire occulter ma judéité. Je ne la revendique pas. Elle « est ». Et c'est ainsi. Autant que ma citoyenneté française dont papa, lui, fut un temps déchu.

Encore une citation et j'en termine. Comme disait Renan (Ernest) : « Le peuple juif aspire à être comme tout le monde et être à part. » Comme moi. Comme vous, peut-être. Comme nous tous, en vérité. Ne cherchons pas là, à mon sens, la singularité de « ce peuple » là : nous y trouverons, à coup sûr, la trace, voire la signature, de l'humaine condition.

« Être juif », pour moi, est juste une partie de mon identité, pas toute mon identité, et si j'osais, en une formule qui m'est familière, me référer au Tout-Puissant, dont un jour sur deux, l'absence ou l'indifférence me navre, j'ajouterais : « Dieu merci ! » « Identité », j'y reviens, ce mot-valise, si souvent entendu par moi en Israël, m'exaspère un tantinet et me questionne. Je suis juif (on l'a dit), mais aussi français (on l'a dit aussi), tunisien (bien sûr), arabe (de par l'origine de mon patronyme !), papa (heureux), hétérosexuel (depuis toujours), orphelin (indéfiniment), boulimique (navré), angoissé (permanent) et rigolard (sporadique), emporté quoique timoré, casse-cou quoique trouillard, jovial quoique dépressif. Bref, humain comme Moïse, qui eut, lui, la chance de voir l'Éternel en face à face – pas comme moi – puis fracassa de colère les Tables de la Loi pour punir un peuple versatile, adorateur du Veau d'or, idolâtre, et nostalgique de sa servitude, qui ne méritait certes pas l'honneur qui lui était fait d'être « élu », ce qui insupporte les anti-juifs, par un Dieu encore plus emporté que l'ex-jeune prince d'Égypte. Allons, qui donc pouvait mériter d'être « choisi » ou « élu », fût-ce au second tour ? Oui, pourquoi pas ces esclaves hébreux fuyant, dit-on, l'Égypte ? Allez, allons-y, pensa résigné, le Très-Haut, prenons ceux-là. Il devait être à court d'idées ou désespéré.

L'Éternel, ce Dieu apparemment peu aimable, avait, en son temps, chassé du paradis les créatures qu'il avait imprudemment créées. Et les avait condamnées, pour les punir de leurs errements, au pire des exils : celui de la solitude. Et les voici, comme l'écrivait le grand Milton dans son *Paradis perdu :* « se tenant par la main, d'un pas errant et lent, quittant l'Éden et prenant leur chemin solitaire ». Oui, nous fûmes tous chassés du paradis. Et nous le sentons à chaque instant. De manière lancinante, permanente. Demandez ce qu'ils en pensent, si vous savez faire parler les morts, aux victimes de la Shoah ou aux migrants dont tant d'enfants périssent en mer. Oui, nous dîmes adieu au paradis, mais je ne le confonds pas avec l'Israël des versets bibliques, « Terre promise » peut-être, mais non « paradis ». Et à la seule condition d'écouter les promesses divines, qui n'engagent, comme on le sait, que ceux qui y croient.

Mon identité ne me semble être que superpositions. Expérience après expérience, malheurs après traumatismes, joies multiples après mélancolies répétées. Elle est faite de la longue suite de mes identifications successives. Elle est faite de tous les « autres », de tous les événements de ma vie et de mes rencontres, elle se perd, se retrouve, s'enrichit et se dérobe. Elle emprunte, détourne, émigre, s'éloigne, se perd, s'éparpille et, parfois, se reconstitue. Ou fait comme si. Oui, tous les « autres » m'habitent. Ils peuplent ma mémoire. Les vivants et les morts coexistent en moi : les rabbins de ma famille comme mon oncle

André-le-sioniste, comme mon papa-l'athée, comme « ma » femme-aimée-et-non-juive, mes garçons circoncis et ma fille chérie. Je crois aux esprits jamais perdus des miens et à leur force éternelle. Je célèbre la vie entre orages et défaites, énergie retrouvée et soleil revenu.

Juif ? Sûrement. Je l'ai tant de fois écrit, filmé, voire proclamé. J'en ai pleuré et j'en ai ri. Je sais bien que cette pelure-là d'identité, la mienne, la vôtre peut-être, peut « choisir son camp », se « fixer », par tradition ou désir, confort ou conformisme, fidélité ou amour, courage ou résignation. Et le « je » devient « nous », et l'individu devient « peuple ». Ici, le peuple juif en Israël. C'est, bien sûr, rassurant face à certains « autres » que l'on soupçonne volontiers et, souvent, en l'occurrence, avec quelque raison, d'être de sacrés antisémites. Chacun est libre. Libre de fédérer et d'unifier toutes ses identités. La tentation est grande de dresser des murailles de sable autour de son identité préférée du moment. Elle est comme assignée à résidence. Et on hisse tout autour d'elle de dérisoires créneaux, herses, douves et autres mâchicoulis et ponts-levis. Mais cela ne règle rien. Notre bazar interne, notre souk intérieur grouille toujours d'échoppes concurrentes. Il est bruissant, hurlant de criardes harangues, celles des marchands racoleurs d'identités en tout genre.

En cet ouvrage, j'ai donc raconté le retour actuel d'un grand nombre de juifs de France en Israël, en cette terre qui fut promise, dit-on, par Dieu à son peuple, alors qu'ailleurs le Sioux reconquiert son Amérique perdue, le Kabyle son Maghreb d'antan, l'Arabe son califat réinventé, le Français « de souche », la Gaule mythique de ses supposées origines. Le tout également fantasmé. Il en faut pour tous les goûts. Et il convient, pour beaucoup, de former, comme dans les westerns, les chariots en faisceaux et de se replier : « Chacun chez soi ! »

Mon identité se consolide en se renforçant face à la tienne, voire contre la tienne. Tu me menaces, je te menace, tu m'angoisses, je t'angoisse, tu me fais peur, je te fais peur, on se combat et, parfois même, on s'entretue. Au nom de nos identités, forcément menacées car en vérité si fragiles. Et qui en deviennent donc meurtrières, comme dirait le grand Amin Maalouf.

Je suis heureux d'être juif, bien que, honnêtement, je n'y sois pas pour grand-chose. Je me contente, sur ce plan, d'en remercier mes ancêtres et de penser très fort à eux, qui ont connu les bûchers de l'Inquisition espagnole et divers pogroms tant européens que nord-africains, sans oublier leurs multiples exils tout autour de la Méditerranée. Leur mémoire me harcèle parfois. Elle me taquine, me tarabuste et m'envahit souvent. Elle m'a fait pleurer, aussi. Dieu, ou le hasard, m'a fait juif. Mes parents, grâce à un rabbin, pas trop maladroit, m'ont circoncis. Et c'est vrai, je transmets, comme je peux, à mes enfants cette identité sous forme de mémoire revisitée. Je sais aussi que je suis le dernier juif de ma lignée et que ce souvenir risque de disparaître avec moi. De cela, je suis responsable. Mais, en vérité, qu'y puis-je ? Ainsi va la vie. La mienne en tout cas. Peut-être, un jour, cesserons-nous d'agiter nos postures respectives, de camper dans nos citadelles, étrangères à l'autre et strictement réservées à ceux que nous prenons pour nos exclusifs semblables, les seuls, les vrais.

Là-bas, en Israël, beaucoup m'ont dit et répété que je ne leur ressemblais pas « tout à fait ». Bon, d'accord, je ne fréquente ni les institutions communautaires ni les synagogues, je ne fais pas les fêtes et ne connais aucune prière. *Mea culpa*. En plus, circonstance exténuante, je suis de gauche, vaguement connu, pardon, et n'habite pas dans ces quartiers où fleurissent, disent-ils, les nouvelles haines anti-juives. Bref, je ne suis pas comme eux, disent-ils. D'ailleurs, suis-je seulement juif ? À peine. Tout, dans ces histoires d'identité, relève du détail et de la ressemblance. Ne pas être exactement comme eux vous sépare, un peu, beaucoup, totalement. Sacrée identité, quand tu nous tiens !

Post-scriptum (30 septembre 2016) :
J'aime Israël. Je n'aime pas sa politique actuelle mais elle n'est, bien évidemment, que passagère. « Ils » ne vont tout de même pas tuer Rabin une seconde

fois. Et, comme me disait Shimon Pérès : « Ceux qui ne croient pas aux miracles en Israël ne sont pas réalistes. » C'était il y a déjà plus de vingt ans. Je filmais Shimon Pérès, lui, rêvait et croyait, bien sûr, aux miracles. Il était donc un véritable israélien. Il manque. Beaucoup. Y aura-t-il un prochain Shimon ? Je cite Amos Oz[1], car il n'y a rien à dire de plus et de mieux que le grand écrivain : « Il y a ceux qui disent que la paix est impossible. Elle est non seulement possible, mais elle est nécessaire et inévitable (...) Simplement parce que nous n'avons nulle part où aller (...) et les Palestiniens non plus. Et parce que les Israéliens et les Palestiniens ne peuvent se transformer soudainement en une famille heureuse. Ils ne peuvent sauter ensemble dans un lit double et commencer leur lune de miel... C'est pourquoi nous n'avons pas d'autre choix que de partager cette maison en deux appartements et en faire une maison bi-familiale. Au fond de son cœur, presque tout le monde, d'un côté comme de l'autre, connaît cette vérité. Mais où sont les leaders courageux qui vont se lever et la concrétiser. Où sont les continuateurs de Shimon Pérès ? »

Post-scriptum 2 :

À propos de funérailles, lors des miennes, j'aimerais bien, si possible, être accompagné d'un rabbin. Et

1. Discours d'Amos Oz aux funérailles de Shimon Pérès.

d'une petite prière en hébreu. Certes, vous allez me faire remarquer que je ne la comprendrai pas. C'est vrai, mais cela n'a aucune importance, je serai mort. Et pour longtemps. Comme Shimon d'ailleurs. Mais ce sera moins important.

Post-scriptum 3 :

Aux dernières nouvelles, l'année 2016, en ce qui concerne l'alya des juifs de France, contrairement à tout ce qui avait été annoncé, n'a pas été aussi performante qu'espérée en Israël. C'est un constat. Il a même été précisé qu'il y avait eu 30 % de départs en moins au premier trimestre 2016 que sur la même période en 2015. Et peut-être 40 % de moins qu'en 2015 sur l'ensemble de l'année 2016. Mais attention, le directeur de l'Agence juive à Paris a insisté : « Cela ne signifie pas que le mouvement s'essouffle ! Je ressens sa force, la motivation est toujours à la hausse et jamais autant de juifs de France n'ont envisagé de faire leur alya. » À suivre.

Post-scriptum 4 :

Je termine ce livre. Je rentre de ces voyages israéliens heureux, troublé et fourbu. À tous ceux qui ont décidé de faire leur alya, je souhaite que celle-ci se vive heureuse et dans la paix avec leurs voisins. À tous, j'adresse un chaleureux et hébraïsant « Shalom », ainsi qu'un très républicain et français : « Salut et fraternité ».

Cet ouvrage a été composé
par PCA à Rezé (Loire-Atlantique)
et achevé d'imprimer en novembre 2016
par CPI Firmin-Didot
à Mesnil-sur-L'Estrée (Eure)
pour le compte des Éditions Stock
21, rue du Montparnasse, 75006 Paris

Stock s'engage pour l'environnement en réduisant l'empreinte carbone de ses livres. Celle de cet exemplaire est de :
650 g éq. CO_2
Rendez-vous sur
www.editions-stock-durable.fr

Imprimé en France

Dépôt légal : janvier 2017
N° d'édition : 01 – N° d'impression : 138681
26-07-0234/9